De pers over *As in tas:*

'Een ontroerend en lief boek.'
– *Matthijs van Nieuwkerk*

'De liefde van de zoon is hartverscheurend. *As in tas* is zo laconiek geschreven dat het nauwelijks opvalt hoe essentieel de scènes zijn die hij beschrijft, en dat er geen slechte of overbodige zin in staat. Een ontwapenend boek.' – *de Volkskrant* ★★★★

'Wat een boek. Wat heerlijk om met Jelle en zijn vader op reis te zijn!' – *Marc-Marie Huijbregts in De Wereld Draait Door*

'Wat een verrukkelijk boekje. Tussen de vaak hilarische beschrijvingen van de fietsetappes deelt Jelle zijn herinneringen aan zijn vader. (…) Het boek is ook een openhartig, nuchter en tegelijk ontroerend portret van een vader die veel talenten had, maar niet voor het vaderschap.' – *Trouw*

'Een echte aanrader!' – *TROS Nieuwsshow*

'Het wemelt in *As in tas* van de beelden die bij een mindere schrijver zouden uitwaaieren over de pagina's, maar Jelle Brandt Corstius houdt het compact, suggestief en licht. (…) Het levert voor de lezer, met alle respect voor de traumatische ervaringen die Jelle Brandt Corstius daar in zijn prille bestaan door heeft

opgelopen, kostelijke, hartverwarmende romanstof op.' – *Vrij Nederland (Boek van de Week)*

'Ik zat net te lezen in *As in tas*, het mooie boekje dat Jelle Brandt Corstius schreef over de fietstocht die hij maakte met een deel van de as van zijn vader Hugo. Het bevat geweldige herinneringen ("Ik tel tot vijf en dan zetten we het op een lopen" in een restaurant vóór de rekening), maar ook hele treurige aan de laatste maanden, toen Brandt Corstius, een genie met aanleg voor de slappe lach, razendsnel dementeerde. – *NRC Handelsblad*

'Tijdens de tocht komen herinneringen aan zijn vader regelmatig bij de eenzame fietser boven. In een heel fijne stijl schrijft hij deze gedachtenissen neer. Zijn vader is nooit ver weg.' – *8 Weekly* ★★★★

'Het knappe van *As in tas* is dat die verzoening met de excentriciteit van zijn vader niet alleen erg grappig is, maar ook echt weet te ontroeren.'
– *Nieuwe Revu* ★★★★

As in tas

Jelle Brandt Corstius

AS IN TAS

DAS MAG UITGEVERS

Jelle Brandt Corstius (1978)
is schrijver, reisjournalist en
programmamaker.

Zijn vader Hugo Brandt Corstius
was schrijver en taalwetenschapper.
Hij overleed op 28 februari 2014.

Eerste druk: maart 2016
Tweede druk: maart 2016
Derde druk: maart 2016
Vierde druk: juni 2016

Art direction: Toine Donk
Illustraties en opmaak: Anne Lint
Productiebegeleiding: Tim Beijer
Foto auteur: Keke Keukelaar

NUR 301

www.dasmag.nl
www.jellebc.nl

Voor Mae

'I'm a dad, am I?'
   Battus, *Symmys*

'And the road becomes my bride...'
   Metallica, *Wherever I May Roam*

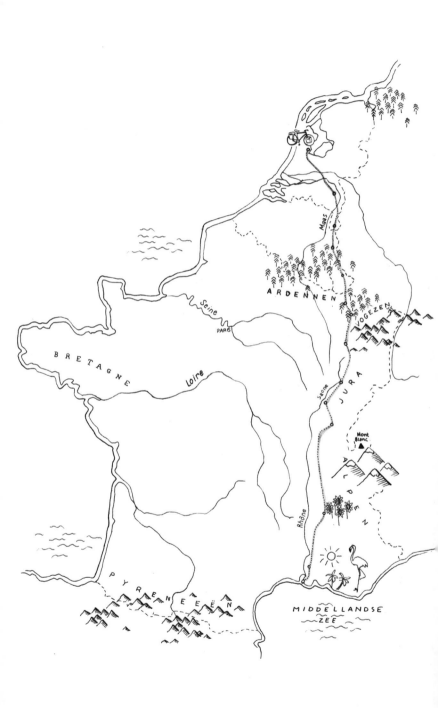

Deze woorden schrijf ik in de dakkamer van een keurig rijtjeshuis uit de jaren dertig, in een rustige buurt in Amsterdam. Voor de deur staat de Škoda Octavia waarvoor ik mijn oude Jaguar heb ingeruild. Mijn vriendin zit een verdieping lager te werken, haar zoontje speelt in de kamer ernaast. En onze dochter ligt rustig te slapen, zie ik op de monitor van de babyfoon. Overdag geniet ik van wat ik nu allemaal heb en 's nachts heb ik nachtmerries over hoe ik dit allemaal weer kwijtraak. In de afgelopen twee jaar is mijn wereld onherkenbaar veranderd. Voor het eerst in mijn leven ben ik volkomen gelukkig.

Hoe anders was het twee jaar geleden, toen ik hoorde dat mijn vader dementerend was, en dat de ziekte al in een vergevorderd stadium was. Volgens de dokter zijn sommige mensen in staat om hun eigen hersenen met trucjes aan de gang te houden. Dat was mijn vader, achteraf bekeken, een paar jaar gelukt. Natuurlijk gebeurden er rare dingen, maar de scheidslijn tussen een rare vader en een beginnend dementerende vader is heel dun. Als hij op vakantie in Portugal na een paar uur verward uit de bosjes tevoorschijn kwam, met schaafwonden op zijn hoofd, moest iedereen daar gewoon hartelijk om lachen. En dat hij telkens hetzelfde verhaal ophing, dat deed hij toch ook al jaren?

Toen de trucjes waren uitgewerkt ging het heel snel bergafwaarts. Volgens de artsen had hij frontotemporale dementie, een aandoening die niet zozeer invloed heeft op je geheugen als wel op je motoriek en taalgebruik. Een halfjaar na de diagnose was hij dood. Eerst ging het fietsen niet meer, daarna het schrijven. Toen werd het lopen moeilijker. Hij kwam niet meer verder dan de muziekschool aan het eind van de straat waar hij de afgelopen twintig jaar elke middag een kopje koffie uit de automaat had gehaald. Vervolgens redde hij ook de muziekschool niet meer. Daarna stopte hij met praten en eten. Uiteindelijk kon hij niet meer drinken en was het afgelopen. De snelle dood was natuurlijk fijn voor mijn vader, hij heeft nooit een dag in een verzorgingshuis doorgebracht. Hij hoefde niet jarenlang kwijlend voor zich uit te staren aan een tafel in een of andere recreatieruimte. Maar op dat moment bood dat mij geen troost. Ik was nog niet gewend aan de ene verslechtering of de volgende diende zich alweer aan. De ene dag dicteerde mijn vader mij een verhaal omdat schrijven niet meer ging, de volgende dag kon hij al niet meer praten. De dag daarop probeerde ik het verhaal af te maken met het alfabet op een vel papier zodat hij de letters kon aanwijzen, wat redelijk ging.

De volgende dag ging ook dat niet meer.

Ik noem dit ook wel de 'manische fase' van mijn leven. Die begon bij de diagnose van mijn vader, een halfjaar voor zijn dood. Om na zo'n dag naar huis te gaan, waar verder niemand was, is moeilijk. Je wilt met iemand kunnen bespreken wat je zelf niet kunt bevatten. De reis voor een nieuw televisieprogramma had ik uitgesteld omdat ik bij mijn vader wilde blijven. Maar tegelijkertijd had ik ontzettend de behoefte om niet thuis te zijn, dus ging ik van alles ondernemen. Ik kocht een gitaar en leerde hem bespelen bij een heel lieve Bosnische vluchteling. Dat was leuk. Maar thuis 'Let It Be' oefenen niet. Ik gaf me op voor een cursus Spaans – misschien ging ik daar wel een serie maken, *que será, será*. Maar dan zat ik thuis weer in het halfdonker mijn grammatica te leren en was ik doodongelukkig. Het huis, bedacht ik toen, daar moest het aan liggen. Als ik dan toch nooit een gezin zou hebben, kon ik best een woonboot kopen. Het liefst aan een rafelrand van Amsterdam, met uitzicht over veel water. Het voordek met hout, de geur van pek in de kombuis. Ik had er al een bezichtigd en laten taxeren, maar in een vlaag van verstand – ik had voor de verandering eens langer geslapen dan twee uur – toch geen bod uitgebracht.

Mijn lichaam, dacht ik toen, dat zou het zijn. Ik ging naar het Oosterpark, waar elke ochtend spontaan mensen samenkomen voor tai chi. Ik was er al vaker langsgefietst. Mensen die langzame en simpele maar sierlijke bewegingen maakten onder leiding van

een kleine Chinees: jarenlang vond ik dit een belachelijk tafereel, nu leek het mij ineens wel wat. Maar
toen ik ertussen stond en meebewoog, wat toch behoorlijk lastig is, voelde ik de spottende blikken van
de passerende fietsers, een groep waar ik bij had ge-
hoord.

Na de tai chi stonden alle deuren naar de *Happi-
nez*-wereld open en maakte ik een afspraak bij een
haptonoom, die ik op goed geluk van het internet
had geplukt: het was om de hoek van mijn lege huis.
Ter kennismaking moest ik in mijn onderbroek op
een massagetafel gaan liggen. Ze legde steeds haar
hand op een andere plek op mijn rug en vroeg dan
hoe ik mij voelde. Ik voelde helemaal niets, maar
durfde dat niet te zeggen, dus verzon ik steeds maar
een antwoord. Tot ze haar hand tussen mijn schou-
derbladen legde. De rest van de sessie heb ik onbe-
daarlijk gehuild. Mijn tranen vielen door het gat in
de massagetafel op de grond. De haptonoom zei niks,
maar gaf mij af en toe een tissue. Na afloop keek ik
naar het plasje onder de massagetafel. Het voelde
goed, maar ik was ook kapot en nog zo'n sessie zou
ik niet overleven – zo dacht ik toen, dus hield ik ook
daar mee op en stortte ik me weer in een andere manische hobby die me gelukkiger moest maken of die
me in elk geval mijn verdriet deed vergeten, al was
het maar even. Zo ging het maar door.

Slechts één project bleef hardnekkig in mijn hoofd
zitten: fietsen naar de Middellandse Zee, en mijn vader, mijn fietsmaatje, moest mee.

AMSTERDAM

-

ZEELAND

(Noord-Brabant)

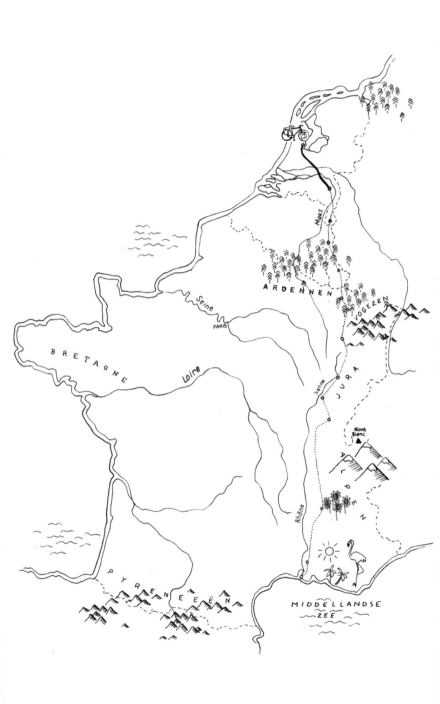

'Hoeveel as wilt u eigenlijk meenemen?' De dame achter de balie van De Nieuwe Oosterbegraafplaats in Amsterdam kijkt me nieuwsgierig aan. Daar heb ik nog niet over nagedacht. In mijn beleving zou er na verbranding een koffiekopje as overblijven. Het bleek drieënhalve kilo te zijn, net zoveel als een gemiddelde baby bij de geboorte. Veel te veel voor mijn fietstocht naar de Middellandse Zee, waarvoor elke extra gram bagage er één te veel was. Mijn fiets stond buiten al klaar, de tassen puilden uit. Een windvlaag deed hem bijna omvallen.

'Doe maar een koffiekopje,' zeg ik.

'Ik zal zien wat ik kan doen.' De dame verdwijnt naar een kantoorachtige ruimte achter de balie waar mijn vader kennelijk in een laatje zit. Een andere wachtende knoopt een gesprekje met mij aan over Rusland. Dat ik op het punt sta om mijn vader in een koffiekopje te ontvangen is voor hem geen reden om mij niet aan te spreken. Ik hoop vurig dat de dame snel terug zal komen.

Ik had verwacht dat je spontaan langs kon komen

om as op te halen. En dus was ik bepakt en bezakt van huis vertrokken en naar het crematorium gefietst. De sleutel had ik al aan de buren gegeven. Bij aankomst in het crematorium werd me gezegd dat ik een dag op voorhand een afspraak had moeten maken. De gedachte dat ik mijn reis een dag zou moeten uitstellen was onacceptabel. Nog nooit in mijn leven had ik zo de behoefte gehad om te vertrekken, onderweg te zijn.

Tot mijn grote opluchting komt de dame weer tevoorschijn, met in haar handen een zakje van purper satijn met een strik eromheen. Ik weeg mijn vader in mijn handen. Toch nog behoorlijk zwaar. Buiten in de storm stop ik het zakje in een geheim vak van mijn linker fietstas, waarin ook mijn paspoort zit.

Mijn vader zou het volstrekt bespottelijk gevonden hebben om in een purperen zakje met mij op reis te gaan. 'Stop mij maar in een vuilniszak,' zei hij altijd als we hem vroegen wat we met hem moesten doen na zijn dood. Dat híj het niet erg vond om in een vuilniszak te zitten begreep ik wel. Maar wat zouden wíj ervan vinden, vroeg ik hem soms. Vond hij het niet erg dat zijn drie kinderen het daar moeilijker mee zouden hebben, onze vader in een Komozak die waarschijnlijk net te klein was en ongetwijfeld zou scheuren?

De meest absurde ruzie in dit genre vond plaats nadat hij in de NRC een open brief aan Obama had geschreven. Hij meldde zich aan als vrijwilliger voor een reis naar Mars. Ik ben toch al oud, dus ik hoef niet meer terug, was de strekking. En wij dan? vroeg ik hem daarna. Wat denk je dat je kinderen ervan vinden als je daar in je eentje op een dorre planeet woont en nooit meer terugkomt? Hij haalde zijn schouders op. Als het je niet kan schelen wat andere mensen van je denken, dan hoef je jezelf ook niet te verdedigen of anderen proberen te overtuigen. Zo zat hij in elkaar.

Het kan mij ook eigenlijk niet schelen wat mijn vader ervan zou vinden dat hij in een purperen satijnen zakje zit. Deze hele reis zou hij potsierlijk hebben gevonden: een fietstocht maken met de as van je vader in je fietstas, om die ergens te verstrooien op een mooi plekje onderweg naar de Middellandse Zee. Herdenken, rouwen, symbolische handelingen; het waren voor mijn vader allemaal begrippen die net zo ver van hem af stonden als Mars. Zelf ging hij nooit naar begrafenissen. Ik vroeg mij altijd af waarom niet. Zag hij er het nut niet van in? Of was hij bang voor de dood? De dood van mijn moeder, toen ik drie jaar oud was, moet hem hebben aangegrepen, dat kan niet anders. Maar hoe precies, dat heb ik nooit ontdekt.

Daarom was de uitvaart van mijn vader ook zo vreemd. We konden niet ingaan op zijn wensen, want een lijk mag je niet in een vuilniszak bij het grofvuil zetten, zelfs niet in een biobak doen. Begraven had al helemaal iets belachelijks, dus cremeerden we hem maar. Als alternatief voor de vuilniszak kozen wij de goedkoopste kist uit, van ongelakt vurenhout. De bloemen voor op de kist had ik op de Albert Cuyp gekocht: oranje chrysanten die al begonnen te verwelken. Ik had er een Indiase rouwketting van gevlochten. Tijdens het vlechten viel de helft van de blaadjes uit. De andere helft viel uit toen ik de ketting over de kist drapeerde.

Dan de muziek tijdens de dienst. Wat voor muziek moesten wij in godsnaam kiezen voor een man die nooit naar muziek luisterde? Die geen stereo in huis had en die zelfs de garagist extra had betaald voor een auto zónder autoradio? Een man die maar één keer in z'n leven naar een concert was geweest, van Tina Turner, alleen maar omdat ze dezelfde geboortedatum zou hebben als hij – wat overigens helemaal niet klopt. Uiteindelijk werd het een heel mooie dienst zonder muziek. Na een uur stonden wij buiten het crematorium. Het enige waar ik daarna aan kon denken was: fietsen.

Ik wilde zo snel mogelijk weg. In een fietsenwinkel kocht ik een speciale fiets voor lange afstanden, met stevige tasdragers: twee op het voorwiel, twee op het achterwiel. En klikpedalen. Volgens de verkoper zouden mijn fietsschoenen 'als vanzelf' in het pedaal klikken. In de winkel klom ik op het zadel terwijl hij de fiets overeind hield. Het lukte niet. Ik probeerde het weer, het lukte weer niet. Dit ging nog een hele lange minuut door. 'Tijdens het fietsen gaat het vast goed,' besloot hij toen. Daarna demonstreerde hij hoe makkelijk het wiel eraf ging als ik onderweg mijn band moest plakken. Een band plakken, daar had ik nog niet aan gedacht. Ik had in mijn hele leven nog geen band geplakt. Dat zijn typisch dingen die je van je vader leert, net als boren en vissen en kamperen, allemaal zaken die ik zelf had moeten leren. In plaats van op te letten terwijl de verkoper met het wiel bezig was, kon ik alleen maar denken aan hoe ik ergens midden op het Franse platteland een lekke band zou krijgen en hoe het wiel er dan natuurlijk niet af wilde. Dat ik dan – de horror – iemand om hulp zou moeten vragen. Ik hoorde de fietsenman pas weer toen hij zei dat de banden bijna niet lek te krijgen waren. Daar klampte ik mij maar aan vast.

Nog een probleem: ik ben compleet oriëntatiegestoord. Als ik een winkel uit loop weet ik niet eens van welke kant ik ben gekomen. Gelukkig was het 2014: online vond ik een fietsroute naar de Middellandse Zee. Ik hoefde hem alleen maar op mijn telefoon te zetten en de gps deed de rest. Aan mijn dynamo zit een usb-lader; zolang ik harder dan 10 kilometer per uur fiets, blijft mijn telefoon opladen.

Ondanks deze voorzorgsmaatregelen was ik eigenlijk totaal onvoorbereid; ik had ook de conditie van een oude duif. Ik had al maanden niet bewogen, en al weken beroerd geslapen. En toch, of misschien juist daarom, zei elke vezel in mijn lichaam: ga fietsen.

Met de as in de tas vertrek ik bij De Nieuwe Ooster. Tot mijn stomme verbazing klikt mijn schoen inderdaad direct in het pedaal. Het is even wennen met al

die bagage, het sturen met de fietstassen aan de voor-
kant gaat log en zwaar. Om te onthouden waar alles
zit heb ik op een A4'tje de inhoud van mijn vier tassen getekend: slaapmat, slaapzak, kookgerei en
noodrantsoen, wat kleding, een extra fietsbroek en
een handdoekje ter grootte van een vaatdoek, een re-
serveband en een plakset waarvan ik geen idee heb
hoe ik die moet gebruiken. En, na lang te hebben ge-
twijfeld: een lichtgewicht hangmat, een mondharmonica en een waterreservoir. De hangmat dient ter ver-
vanging van een stoeltje dat met geen mogelijkheid in
de tassen paste. De mondharmonica wil ik tijdens de
reis leren bespelen. Dat leek me ineens ook wel wat
(vergeet mijn manische fase niet). Ik heb een speciale
app gedownload die het mij zal leren. Ik zie helemaal
voor me hoe ik aan het eind van de dag, in de hangmat met een glas wijn, 'Sittin' On the Dock of the
Bay' zal inzetten op mijn mondharmonica.

Het waterreservoir heb ik op het laatste moment
gekocht. Het is groot en neemt door zijn onhandige
vorm veel kostbare ruimte in, maar het is volgens mij
onmisbaar op de lange stukken in Frankrijk zonder
cafés en winkels. Bovendien is het april; veel gaat pas
in de zomer open. 'Bel gewoon aan bij een boerderij,
joh,' had een vriend geadviseerd. Maar dat lijkt me
– op een lekke band na – de grootste nachtmerrie. Ik
vind het al moeilijk om vrienden om een gunst te vragen, laat staan vreemden. Het rare is natuurlijk: zo'n
boerenfamilie vindt het waarschijnlijk juist leuk om
zo'n zonderlinge Hollander te helpen. Ik zou het zelf

ook erg leuk vinden als er eens een dorstige fietser aanbelde. Maar wat nou als zo'n boer 'nee' zegt? Als ik het niet vraag, loop ik niet het risico van een 'nee'. Om diezelfde reden heb ik nog nooit een meisje versierd.

Bij het eerste het beste stoplicht val ik met fiets en al om. Mijn schoen zit dan wel in het pedaal geklikt, maar als ik stop moet hij er ook weer uit. Daar heb ik in mijn euforie na het vastklikken niet aan gedacht. Ik krabbel weer overeind terwijl de andere fietsers voor het stoplicht besmuikt lachen. Even verderop – ik ben nog niet eens bij Ouderkerk – vliegt een van mijn fietstassen eraf. Juist op dat moment fietst een bekende langs. Ik doe alsof ik op zoek ben naar iets in de tas en probeer de wond op mijn knie die ik bij het stoplicht heb opgelopen te verbergen. Hij wenst me een goede reis en als hij uit het zicht is, probeer ik de tas weer vast te maken. Het lukt niet.

Ik kan dit niet, ik moet dit niet doen. Het is april, het is koud, ik ben moe. Ik ben niet handig. Ik ben pas een paar kilometer buiten Amsterdam. Maar ik fiets door, met de tas onder mijn arm. In Ouderkerk zal vast een fietsenmaker zitten. Het enige wat vernederender is dan op deze manier verdergaan, is teruggaan.

Mijn omweg via Ouderkerk is opnieuw een ode aan mijn vader, opnieuw een waarvan hij de symboliek walgelijk zou hebben gevonden. Dit stukje heb ik vele malen met hem samen gefietst vanuit het ouderlijk huis in Amsterdam-Zuid. Aan de overkant zie ik het hutje waar mijn vader mij bijlessen Latijn gaf. Hij was een matige leraar: hij raakte altijd geïrriteerd als ik niet onmiddellijk alles begreep. Dan ga je toch een beetje voorbij aan het idee van lesgeven, vind ik. Maar door onze uren in het hutje haalde ik aan het eind van het jaar wel mijn diploma. Ik heb er spijt van dat ik niet aan de overkant langs het water ben gaan fietsen; dan had ik even in het huisje kunnen kijken.

Mijn vader heeft dit rondje nog veel vaker alleen gefietst. De laatste twintig jaar van zijn leven fietste hij dit stuk elke dag, weer of geen weer. Bij goed weer op pantoffels en in een trui met gaten, bij echt goed weer in een overhemd met korte mouwen en met enorme zweetvlekken. Als het kouder was deed hij sokken aan zijn handen en trok hij een regenjas aan die in die twintig jaar nooit is vervangen. Ik weet niet wanneer hij er precies mee begon en ook niet waarom. Ik weet alleen dat het voor hem net zo noodzakelijk was als het kopje automaatkoffie van de muziekschool.

Het was tijdens die fietstochten dat ik echte gesprekken met hem kon voeren. Thuis was hij altijd aan het werk, en als we eenmaal in een café beland waren was een gesprek niet mogelijk omdat mijn vader zich te veel ergerde aan de bediening. En ik aan mijn vader. Maar onderweg, op de fiets, in ieder geval op de stukken zonder stoplicht, was het fijn.

Ik kom langs de molen waar ooit een vrouw ons midden op de weg staande hield. Aan de hoeveelheid haarlak in haar kapsel had ik meteen gezien dat ze Russisch was. 'Waar is het standbeeld van Rembrandt?' vroeg ze in het Russisch. 'Achter de molen, bij het water,' antwoordde ik. Zonder te bedanken en zonder zich te verbazen over mijn Russische antwoord liep ze erheen.

Na de molen kom ik langs het café waar ik met mijn vader kort geleden ben geïnterviewd over onze liefde voor fietsen. Het was een paar maanden voor de diagnose. Mijn vader kraamde nog meer onzin uit dan gewoonlijk en het was ook nog eens niet te volgen. We kregen ruzie, en dat was het eind van het interview.

Bij de fietsenmaker blijkt dat ik de tassen aan een verkeerde stang heb bevestigd. 'Waar ga je naartoe?' vraagt hij.

'De Middellandse Zee.'

De fietsenmaker probeert niet te lachen. Even verderop drink ik koffie bij het café waar mijn vader in zijn laatste jaren altijd een stop maakte. Hij zorgde ervoor dat hij de eerste klant was, zodat hij een verse, onaangeraakte *Volkskrant* kon lezen, dat wil zeggen: de sudoku's maken en de columns van mijn zus lezen. Als hij verder nog iets interessant vond, dan scheurde hij dat er gewoon uit. Ik was blij toen ik hoorde van dit cafébezoek; het betekende waarschijnlijk dat hij was gestopt met het stelen van *de Volkskrant* bij Albert Heijn. Daar was hij mee begonnen na de introductie van de bonuskaart. Hij had geen bonuskaart, en het stelen van de krant was zijn bonus, zo was de redenering. Volstrekt logisch binnen zijn universum.

Een maand voor zijn dood zat ik voor het laatst met hem in dit café. Fietsen ging al lang niet meer; ik had een tandem gehuurd voor een rondje naar Ouderkerk. Hij hoefde alleen maar te zitten. Ik had mij enorm op de tocht verheugd. Met een beetje geluk kon hij voorop zitten en sturen, en deed ik al het trapwerk. Maar het zitten ging ook niet meer. Hij was te bang om te vallen. Na elke paar meter begon hij te protesteren. 'Ik wil naar huis,' zei hij uiteindelijk na drie pogingen. We waren allebei verdrietig. Ik wilde de tandem laten vallen en hem vasthouden en zeggen dat het niet erg was, maar ik deed het niet. De volgende dag zijn we met de Jaguar gegaan; met veel moeite kreeg ik hem op de voorstoel gepropt. Langzaam reed ik zijn route, slingerend langs de Amstel. Na het café stapten we even uit bij de joodse begraafplaats. Toen zag ik aan zijn blik dat hij het allemaal niks vond. Het tochtje met de auto deed hem vooral denken aan wat hij nu niet meer kon.

Na Ouderkerk, met de tassen op de juiste dragers, is het een opluchting het bekende achter me te laten. In een buitenwijk van Houten strijk ik neer op een foeilelijk terras met uitzicht op wat onooglijke nieuwbouw. Ik ben de enige op het terras. Eigenlijk is het ook helemaal niet warm, het is een typische aprildag: druilerig en waterkoud. Maar ik ben opgewarmd van het fietsen en durf mijn fiets niet onbeheerd te laten staan. Niemand van de bediening komt naar buiten, ik bestel mijn uitsmijter binnen. Aan een tafeltje zitten een paar wielrenners. Een vrouw in het gezelschap zegt dat er veel wielrenners in het café zijn. 'Je bedoelt fietsers, niet wielrenners,' zegt de man met de grootste bierbuik en hij knikt naar mij. Kennelijk is er een groot verschil tussen fietsers en wielrenners.

Buiten begint het alweer zachtjes te regenen. De serveerster komt het bestek neerleggen. Zodra zij naar binnen loopt waait het servet weg. Zoals wel vaker zit ik te broeden op een gevatte opmerking die ik naar het hoofd van de wielrenners had kunnen slingeren, zoals: 'Ik heb in ieder geval geen bierbuik.' Of: 'Ik zie jou nog niet naar de Middellandse Zee fietsen.' Maar zie ik mezelf wel naar de Middellandse Zee fietsen? Mijn handen en benen trillen van vermoeidheid en ik ben pas vijftig kilometer opgeschoten. Met een tweede servetje probeer ik het ergste van de vogelpoep te verwijderen die een meeuw ergens langs het Amsterdam-Rijnkanaal op mijn helm heeft gedeponeerd.

Na het eten van een natte uitsmijter stap ik weer op de fiets. Van het tweede deel van de dag kan ik mij niet veel herinneren. De weg is lang, recht en saai. Ik ben erop gebrand deze eerste dag honderddertig kilometer te fietsen. Ik moet gemiddeld honderd kilometer per dag fietsen om op tijd de zee te halen, en in de bergen zal het vast een stuk minder vlot gaan. Met 'op tijd' bedoel ik de termijn van vijftien dagen die ik mijzelf heb gesteld. Ik zou er gerust langer over kunnen doen, maar dit is nu eenmaal mijn doel en daar dien ik mij aan te houden. Ik moet het maximale uit mijn lichaam halen, ik moet aan het einde van de dag uitgeput zijn, anders is het niet goed. Dat heb ik van mijn vader. Zelfs zoiets ontspannends als een vakantie was voor hem pure stress. Het begon bij aankomst: vijftien minuten wachten bij een bagageband vertikte hij. Bij een rij kun je nog voordringen, maar dit was het type wachten waar je niks aan kunt veranderen. Dat was voor hem onacceptabel. Dus vlogen we als kinderen urenlang met onze koffers voor onze stoel, met de benen half omhoog. En dat was dan nog maar het begin van de vakantie.

Aan het eind van de dag bereik ik een camping in Noord-Brabant, bij een dorp met de verwarrende naam Zeeland. De camping is net geopend; het trekkersveld is helemaal leeg. In de druilerige regen zet ik de tent op. Het is pas vijf uur 's middags, maar ik heb geen zin om met een mondharmonica in de tent te gaan zitten. Ik wil eten, douchen en slapen.

Eerst ga ik even plassen in het doucheblok. Ik haal mijn lul uit mijn fietsbroek. Waar ik aan moet wennen: in een fietsbroek hoor je geen onderbroek te dragen. Ik ben erg blij met de broek: na honderddertig kilometer fietsen in dezelfde houding heb ik totaal geen last van zadelpijn. Maar wat is er met mijn lul? Het voelt alsof ik een warme worst vasthoud. Er komt wel plas uit, maar voor de rest is hij helemaal gevoelloos. Hij maakt geen deel meer uit van mijn lichaam. Ik raak in paniek. Komt dit door het fietsen? En kan ik dan wel doorfietsen? Zou mijn lul dan de hele tocht gevoelloos blijven? Misschien is het wel blijvend. Ik voel aan mijn ballen. Ook helemaal niets. Juist op dat moment komt er een campinggast de wc binnenlopen en van de hele rij pisbakken in dit verlaten wc-blok kiest hij die naast de mijne. 'Hé Jelle,' zegt hij. 'Rusland is díe kant op, hoor.' Hij wijst lachend in een richting die het oosten wel zal zijn. Ik lach minzaam terug en steek de warme worst weer in mijn fietsbroek. In het campingrestaurant ben ik de enige gast.

Als ik in mijn slaapzak lig is het nog maar half-acht. Op mijn telefoon begin ik in *Vader* van Karl Ove Knausgård. Ik heb het papieren boek voor mijn verjaardag gekregen van mijn stiefmoeder. Uiteindelijk is het gesneuveld bij de strenge bagageselectie, dus heb ik het als e-book op mijn telefoon gezet. Het begint tergend langzaam en na een bladzij of twintig kan ik mijn ogen niet meer openhouden. Ik voel nog even aan mijn kruis, maar het is alsof ik aan iemand anders z'n kruis zit.

ZEELAND
(Noord-Brabant)

-

MAASTRICHT

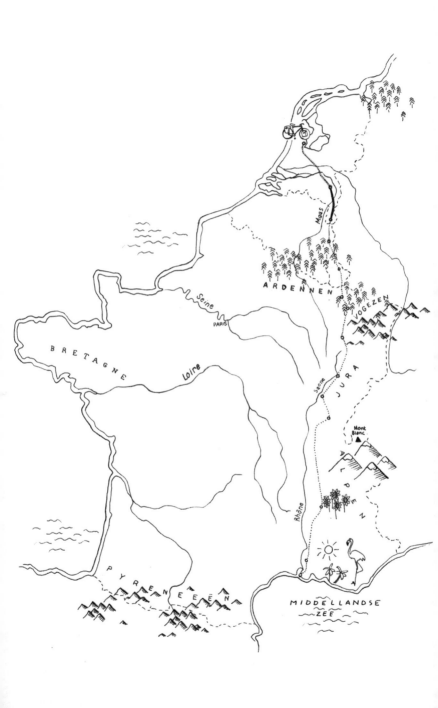

De volgende ochtend schijnt de zon. Terwijl ik wacht tot de stralen de dauw op de tent verdampen, maak ik koffie en pap op het gasstelletje. Het geeft enorm veel voldoening dat ik alles bij me heb. Als het nodig is, kan ik van de spullen in mijn fietstassen makkelijk drie dagen in de wildernis leven. Het is alsof je op reis bent met je eigen huis. Je voelt je veilig als je waar dan ook je tent kunt neerzetten en pap kunt maken. Je bent van niemand afhankelijk.

Het duurt anderhalf uur voordat alles weer gedroogd en ingepakt in de fietstassen zit en die weer op de juiste manier aan de fiets bevestigd zijn. Braaf maak ik mijn ketting schoon en smeer hem, zoals de fietsverkoper mij heeft geadviseerd. 'Gebruik maar een handdoek van de waslijn van de buren,' had hij gegrapt. Maar er zijn helemaal geen buren. Over het lege trekkersveld fiets ik van de camping af. Ik wil heel graag dat iemand vraagt: waar ga je naartoe? Zodat ik terug kan roepen: naar de Middellandse Zee! Maar er is niemand. Daarom kan ik wel even ongegeneerd in mijn fietsbroek voelen – mijn lul is gelukkig weer present.

Ik laat Zeeland achter mij en even later ook Noord-Brabant. Vandaag moet ik van mezelf hoe dan ook Maastricht halen. De hele weg is een grote brij van pontjes, ondanks mijn gps verkeerd ingeslagen wegen, weer een uitsmijter bij een lelijke lunchroom en koffie bij tankstations. Ik heb altijd van de geur van benzine gehouden. Kerosine is mijn favoriet, diesel vind ik vies. Omdat ik als kind al zo van de geur van benzine kon genieten, bracht mijn vader mij soms met de auto naar een benzinepomp, waar ik een halfuurtje kon snuiven. In de tussentijd deed hij wat boodschappen, en dan haalde hij me weer op. Aan de ene kant heel eigenzinnig, aan de andere kant heel erg Kinderbescherming.

Dit is typisch een van die verhalen en herinneringen die mijn vader tijdens onze fietstochten vertelde. Een of twee keer per jaar gingen we fietsen, altijd maar een dag of twee. Hoeveel fietstochten wij hebben gemaakt weet ik niet meer, maar het moeten er meer dan twintig zijn geweest. Ze waren allemaal hetzelfde, maar dat gaf niet. We stapten uit bij een of ander treinstation in Nederland en dan begonnen we zonder enig plan te fietsen, mijn vader altijd net iets harder dan ik fijn vond. Als er een stoplicht op rood stond, bijvoorbeeld bij een drukke provinciale weg, fietste hij gewoon door, ook als er net een auto aankwam. Als het licht op groen sprong was hij alweer uit zicht, aan vaart minderen deed hij niet. Soms duurde het wel tien minuten voor ik hem weer had ingehaald.

Mensen vond mijn vader niet zo interessant, maar dieren werden onderweg altijd hartelijk begroet, vooral koeien en mieren, in het bijzonder mieren die iets aan het sjouwen waren. Rond een uur of vier kochten we traditiegetrouw ergens een fles wijn en dronken die dan naast de dorpssuper op, gewoon uit de fles. Daarvoor nam mijn vader speciaal een kurkentrekker mee. Dat was overigens zijn enige bagage.

Vervolgens gingen we dronken op zoek naar een slaapplek. Dit was altijd het fijnste moment van de dag; mijn vader fietste niet meer alsof hij de trein moest halen en vertelde over nieuwe krankzinnige taalgoochelarijen waar hij mee bezig was. Ik kon hem niet altijd volgen, maar dat gaf niet. Hij fietste nog steeds door rood, maar wachtte dan wel aan de andere kant van de kruising.

's Avonds, als mijn vader een smerig vegetarisch gerecht voor zich had staan, zei hij altijd, terwijl de serveerster wegliep: 'Wat heeft zij een dikke kont.' En altijd net te hard, zodat de serveerster het ook kon horen. Dat had ik maar te accepteren: wie een leuke tijd wilde doorbrengen met mijn vader moest die pesterijen voor lief nemen. Als mensen kwaad werden was hij volgens mij het gelukkigst. Dat betrof niet alleen zijn stukjes in de krant, maar ook het dagelijks leven. De tochtjes duurden daarom ook nooit langer dan twee dagen, dan was ik de pesterijen zat.

Mijn tante vertelde eens dat zij met mijn vader door het bos liep. Mijn vader was een jaar of acht, het moet in de oorlog zijn geweest. Hij schopte tegen een steentje, dat een paar meter verderop precies tegen een boom aan kwam. Hij verzekerde mijn tante dat dat ook de bedoeling was geweest. Dat dreef haar tot razernij. Ze wist zeker dat het niet zijn bedoeling was geweest om dat steentje precies tegen die boom te schoppen, maar dat kon ze ook niet hard maken.

Dit was in ieder geval nog echt gebeurd. Over de meeste verhalen had ik mijn twijfels. Laat ik ze Hugo-verhalen noemen: niemand weet of ze echt gebeurd zijn, maar ze zijn altijd mooi.

Na de oorlog werd mijn vader naar Zwitserland gestuurd om aan te sterken, net als andere astma-kinderen. Een Hugo-verhaal: in de trein naar Zwitserland had hij een reep chocola gekregen van de Canadezen. De chocola had hij bij het raam gelegd; nog voor Luxemburg was de reep door de zon gesmolten. Bij aankomst zag hij een Zwitser houthakken. Toen de man de bijl omhooghield viel het blad in zijn rug en was hij op slag dood. En toen mijn vader terugkwam naar Nederland sprak hij vloeiend Reto-Romaans. Nog een Hugo-verhaal: hij werd van school gestuurd omdat hij weigerde om de Griekse taal in het Grieks op te schrijven, dat vond hij onzin. Hij gebruikte gewoon ons Latijnse alfabet en kreeg bij elk proefwerk een 1. Feit: op zijn veertiende werd hij in een pleeggezin geplaatst omdat hij thuis niet te handhaven was.

Later werd hij een begenadigd wiskundige. Hij was een van de grondleggers van de informaticawetenschap in Nederland en hij promoveerde in de computertaalkunde. Een Hugo-verhaal hierover: er stonden destijds maar een paar computers in Nederland. Tijd om te programmeren met ponskaarten was schaars en duur. Evengoed gebruikte hij die computer stiekem 's nachts voor zijn woordkunsten, die in 1981 zouden leiden tot zijn boek *Opperlandse taal- & letterkunde*. Maar hij schreef ook columns, onder een groot aantal pseudoniemen. Zelf wist hij niet eens hoeveel hij er had, maar volgens Wikipedia zijn het er zeker zestig. Onder de naam Stoker schreef hij dagelijks stukjes voor de voorpagina van *de Volkskrant*, als Piet Grijs schreef hij meer dan veertig jaar een column voor *Vrij Nederland*. Die stukken leverden hem zowel lof als woede op. Woede onder meer vanwege de affaire rond Wouter Buikhuisen, aan wiens carrière door toedoen van mijn vader een einde kwam. Minister Elco Brinkman weigerde de P.C. Hooft-prijs van 1985 aan mijn vader uit te reiken. In 1987, toen de prijs twee jaar lang uit solidariteit met mijn vader niet was uitgereikt, kreeg hij hem alsnog. Ik was toen negen en had niet in de gaten dat er zoveel gedoe om was. Wel weet ik dat we met het geld van de prijs op vakantie naar Curaçao zijn gegaan. En dat de prijs zelf als deurstop werd gebruikt.

Later verhuisde mijn vader naar Parijs, waar hij neerlandistiek doceerde aan de Sorbonne.

Maar zo kende ik hem natuurlijk niet. Mijn vader was vooral gewoon mijn vader. Toen ik jong was wist ik nauwelijks wat hij deed. Het kon mij ook niet zo heel veel schelen. Ik merkte pas iets van mijn vaders werk als het ons ook raakte, zoals door wat Theo van Gogh over hem schreef. Of zoals toen een verwarde fan – of criticus, dat is mij nooit helemaal duidelijk geworden – in onze voortuin ging bivakkeren. Ze zat er een paar dagen en at af en toe van onze tomatenplant. Of toen ik een opstel voor Nederlands had geschreven. Voor zover ik mij kan herinneren pleitte ik in mijn opstel voor al dan niet vrijwillige zelfmoord voor iedereen die vijfenzestig werd, om de bevolkingsgroei onder controle te houden. Ik had er een acht voor gekregen en had het laten zien aan mijn vader, die iets mompelde. Enfin, de volgende dag deelde mijn leraar Nederlands kopieën uit van de column die mijn vader die ochtend in de krant had gepubliceerd, als ik mij niet vergis onder de naam Maaike Helder. Het bleek dat hij mijn opstel integraal had overgetikt, wat mijn leraar er gelukkig niet bij vertelde.

Pas de laatste jaren ben ik wat van zijn boeken gaan lezen en ook wat van zijn Opperlands, al begrijp ik het niet allemaal. Wat voorbeelden uit Opperlands:

'Schrijf de dertien letters van het Nederlandse getal eenennegentig in zeven rijen onder elkaar herhaald op, zo dat in een verticale kolom zeven keer n onder elkaar komt, dan komt in een andere verticale kolom het zevenletterige woord nittien, dat Noors is voor 91. 7 x 13 is trouwens 91.'

44

```
e e n e n n e g e n t i g
n t i g e e n e n n e g e
e n t i g e e n e n n e g
e n t i g e e n e n n e g
n t i g e e n e n n e g e
e g e n t i g e e n e n n
e e n e n n e g e n t i g
```

Of: 'een aal per jaar, dus een kwartaal per kwartaal'.

Of een woordmot: een woord waarbij het tweede deel de vertaling van het eerste deel is, zoals boom-tree.

Of een trizin: zinnen die, als je ze door drie deelt, gelijke letters hebben (en mag oom nog meegaan).

Hij wijdde een heel boek aan zinnen die je om kan draaien en dan hetzelfde zijn. Op de eerste pagina schreef hij: 'Ho jij Jelle jij joh!'

Als ik op zijn werkkamer kwam en hij zat weer gebogen over een of ander schema op Ao-formaat met honderden woorden, dan durfde ik nooit te vragen wat hij aan het doen was. Mijn vader zou kwaad worden omdat ik het niet begreep en ik zou gefrustreerd raken omdat hij kwaad werd. Alleen als we fietsten lukte het hem een enkele keer om mij uit te leggen waar hij mee bezig was.

Aan het eind van de dag kom ik aan in Maastricht. Het wordt al donker, ik vind dat ik wel een echt bed heb verdiend. Als ik tevergeefs het vijfde hotel uit loop – de volgende dag blijkt de Amstel Gold Race te beginnen – komt er een vrouw aanfietsen. 'Zoek je een hotel? Ik heb een bed & breakfast, op loopafstand van het centrum. Fiets maar mee!' Ik ben onder de indruk van haar kordaatheid en te moe om verdere vragen te stellen. Slaafs volg ik haar. Ze rijdt op een elektrische fiets, die ik maar met moeite kan bijhouden.

'Op loopafstand van het centrum' is een rekbaar begrip. We fietsen twintig minuten door allerhande buitenwijken en over een industrieterrein. Bij binnenkomst moet ik mijn schoenen uitdoen en krijg ik een vaatdoekje waarmee de fietstassen dienen te worden schoongemaakt. 'Ruim dit ook maar op.' Ze wijst naar een hoopje bladeren waarvan ik vrij zeker ben dat het er al lag. We lopen door naar de badkamer, waar zij een emmer laat zien. 'Als je gaat douchen, wil je dat dan niet te lang doen? Zou je in die emmer zoveel mogelijk douchewater kunnen opvangen? Daar kun je dan de wc mee doorspoelen. Maar dat hoeft echt alleen bij de grote boodschap, hoor.'

De logeerkamer is op de zolder. Ik denk dat dit vroeger een tienerkamer is geweest. In de kast ligt een stapel *Tina*'s uit 1996. Er staan twee bedden: roze en veel te klein. Achter in de kamer hangt luxaflex die onder geen beding omlaag mag. Achter het raam is een blinde muur. Ik vraag haar of ze nog meer logeerkamers heeft, misschien een met een iets groter bed. Ze begrijpt niet waar ik op aanstuur, en vertelt over de andere logeerkamer. Ze gaat er even goed voor zitten. In de andere logeerkamer logeert ene Willem.

Willem ligt in scheiding met zijn vrouw en zit in de schuldsanering. Hij heeft bij de gemeente gewerkt en gespeculeerd met geld uit de gemeentekas. Op een dag stond hij bij haar op de stoep met een vuilniszak met kleren. Geld voor een huurhuis had hij niet, hij had al enkele dagen doorgebracht op straat. Of hij een paar nachten bij haar zou kunnen logeren. Na een paar nachten was het geld op, maar ze kon het niet over haar hart verkrijgen hem op straat te zetten. Dagen werden weken, weken werden maanden. Overdag zit hij in de gemeentebibliotheek, waar hij gratis kan internetten. Daar gaat hij stug door met beleggen met geld waar de schuldsanering niets vanaf weet. Zodra hij die klapper maakt zal hij de huur helemaal terugbetalen, heeft hij haar beloofd. 'Hij zit hier nu een halfjaar. Niet alleen loop ik geld mis, ik verlies geld. Want wie betaalt zijn ontbijt en zijn douchewater? Nou?' vraagt ze retorisch en met stemverheffing, in de richting van de deuropening. Ik vermoed dat Willem terug is van de bibliotheek en schuldbewust zit mee te luisteren.

'Ik ben ook veel te goed van vertrouwen,' vervolgt ze. Haar vorige logé was Mari, een Afghaanse illegaal. Niet alleen weigerde Mari te betalen en bleef hij te lang, ook gingen er steeds meer Afghanen in zijn kamer wonen. En toen hij en zijn entourage eindelijk waren vertrokken, bleek dat hij de elektriciteitshaspel van mevrouw had meegenomen. 'Ik heb hem eindeloos gebeld over die haspel. En telkens beloofde hij hem langs te brengen, maar nee hoor. Op een dag belde hij mij. De haspel zou in de tuin liggen. Ik keek in de tuin: geen haspel. Ik Mari bellen: bleek hij de haspel in een zak voor de deur te hebben gelegd. Eind goed al goed.' Na deze weinig bevredigende ontknoping stapt ze abrupt op. 'Vergeet de luxaflex niet, hè,' zegt ze vanuit de deuropening.

Snel ga ik buiten wat eten. Het enige horeca-etablissement op loopafstand is een shoarmazaak. De man achter de toonbank zou zomaar de Afghaan kunnen zijn. Wat zou Mari toch met die haspel hebben gemoeten?

Weer thuis douche ik braaf met de emmer. Wederom hangt er een worst aan mijn lijf die niet van mij is. Als ik morgen weer zo'n worst heb, neem ik de trein naar huis, besluit ik. In bed denk ik na over deze wonderlijke slaapplek. Waarom trek ik toch altijd dit soort mensen aan? Zijn het de vragen die ik stel? Voelen gekken zich meer op hun gemak bij mij? Of is het andersom? Ben ik zelf op zoek naar dit soort mensen? Waarom ben ik zonder vragen te stellen achter haar aan gefietst? Wat heb ik toch met karikaturen? Zo heb ik in Rusland een lange reeks vriendinnen gehad, de een nog gekker dan de ander. Ik had helemaal geen tijd om te bedenken of ik die vrouwen wel leuk genoeg vond, want ik was alleen maar bezig met het oplossen van krankzinnige problemen.

MAASTRICHT
-
SPA

's Ochtends hoop ik met Willem aan de ontbijttafel te zitten, maar die staat onder de douche. Ik eet mijn eitje. Zou dat zijn gekookt in mijn douchewater? Bij het vullen van de bidons krijg ik een reprimande omdat ik, bij het wisselen van de bidons, de kraan laat lopen. Ze vraagt mij waar ik naartoe fiets. 'De Middellandse Zee,' zeg ik trots. 'Goede reis,' zegt ze neutraal, alsof ook de Middellandse Zee op loopafstand is.

Even buiten Maastricht staan de eerste dranghekken voor de Amstel Gold Race. Voor het hek staat een officieel uitziend mannetje in een hesje. De race is nog niet begonnen, maar om netjes aan de overkant te komen zal ik een flink stuk moeten omfietsen. En ik heb al een halfuur verloren met het terugfietsen uit de buitenwijk van de bed & breakfast.

Als de official even de andere kant op loopt, maak ik het dranghek los en glip de weg op. Een paar honderd meter rijd ik glorieus over een verlaten asfaltweg. Vanuit mijn fietstas, in zijn satijnen zakje, hoor ik mijn vader juichen om mijn burgerlijke ongehoorzaamheid. Niets kon hem meer ergeren dan wanneer ik mij conformeerde aan de omgeving.

Voor hem was het een principe om je juist níet aan regels te houden. De wereld diende zich aan hém te conformeren. Pas toen ik mijn rijbewijs had en de verkeersregels kende, begreep ik hoe ver dat ging. Als mijn vader naar links moest op een rotonde, dan reed hij er niet driekwart omheen, maar sloeg hij gewoon meteen linksaf. Ook ging hij ooit met de fiets over de vluchtstrook van de snelweg. Door de Velsertunnel. Toen ik hem vroeg waarom hij dat deed, antwoordde hij: 'Het was de kortste route.'

Lange tijd heb ik me voor mijn vader geschaamd. Vooral als je in de puberteit zit, je met je hoofd vol pukkels al onzeker genoeg bent, dan wil zo'n vader niet helpen. Zo waren wij op vakantie op Curaçao. We moesten een bus halen (waarom dat per se moest is mij niet duidelijk, het was vakantie). Mijn vader rende voor ons uit en ging voor de bus staan zodat de chauffeur niet zonder ons weg kon rijden. Het duurde een paar minuten voordat mijn zussen en ik kwamen aangehold. De dodelijke blikken van de passagiers in de bus zal ik nooit vergeten.

Een andere Curaçaose herinnering: we waren in Willemstad, waar wij om de een of andere reden elke avond bij een Italiaan in een achterbuurt aten, het terras lag naast de vuilcontainer van een bordeel. Verderop was een straatfeest aan de gang. Ze speelden salsamuziek en iedereen was aan het dansen. Zonder zich ook maar een moment te bedenken stortte mijn vader zich in het feestgedruis en danste hij zijn eigen salsa. Dat de hele dansende menigte verbaasd stond te kijken naar die rare blanke kon hem niks schelen. Intussen stond ik met een rood hoofd aan de kant mijn tranen te bedwingen.

Hoe ouder ik werd, hoe meer ik zijn gedrag kon waarderen. Toen ik zeventien was brachten wij met z'n allen oud en nieuw door in Miami. De ober bracht ons voortdurend het verkeerde eten, en het was nog vies ook. Toen de rekening betaald moest worden, zei mijn vader: 'Ik tel tot vijf en dan zetten we het op een lopen.' Lachend renden we weg met een boze ober achter ons aan.

Een jaar voor zijn dood, op het Boekenbal, merkte ik dat mijn schaamte voorbij was. De opening in de zaal was net achter de rug, een dj startte de muziek, de dansvloer was nog helemaal leeg. Onmiddellijk begon mijn vader te dansen; ik herkende de Hugo-salsa uit Willemstad. Met open mond stonden schrijvers en uitgevers te kijken naar deze man die rondsprong in een ongestreken roze overhemd. Maar ik ging niet door de grond. Ik was trots op mijn originele vader die zich nooit iets aantrok van wie of wat dan ook, die magische ontdekkingen deed met woorden, die mij en mijn twee zussen opvoedde, de eerste computer in Nederland in elkaar zette en die als je het mag geloven ook het internet heeft uitgevonden. Ik liep de dansvloer op en samen dansten wij onze eigen salsa.

Er schiet een peloton amateurwielrenners voorbij. Allemaal mannen met bierbuiken in strakke fietskleding. Eentje kijkt met een misprijzende blik om naar mij, de langzame fietser. Opgelucht steek ik bij Eijsden de grens over. Ik hoop dat er nu een eind komt aan gastvrouwen die willen dat je met een emmer onder de douche gaat en natte uitsmijters in druilerig weer. Aan wielrenners met bierbuiken. Of in ieder geval aan de drukte in Nederland, waar je elke twintig minuten wel een of andere provinciale weg moet oversteken, waar je nooit alleen bent. Ik wil de wildernis, de natuur, urenlang alleen fietsen, bang zijn om te verdwalen en van dorst om te komen (of beter nog: mijn waterreservoir te gebruiken). Ik wil heuvels en zonnige luchten, velden met klaprozen, de geur van lavendel, zonnebloemen!

In ieder geval krijg ik de heuvels. Direct over de grens beginnen de Ardennen in al hun ernst. Ik heb in mijn leven nog nooit serieus met de fiets geklommen. De tochten met mijn vader waren altijd over vlak terrein, met hooguit een heel klein heuveltje. Nu gaat het steil omhoog, en niet voor een klimmetje. Het zijn beklimmingen waar geen eind aan komt. Na elke bocht hoop ik de top te zien, maar dan gaat het klimmen gewoon door. Bij elk tandje terugschakelen hoop ik dat de verzuring stopt, maar na een halve minuut is het toch te zwaar en beginnen mijn benen weer te trillen. Daar komt nog bij dat ik veertig kilo aan bagage meetors. Dat is toch een beetje alsof je een fietstocht naar de Middellandse Zee maakt met

Yolanthe Cabau van Kasbergen achterop.

Na een uur helse beklimmingen trap ik mijn weg naar boven in het lichtste verzet. In een of ander dorp ga ik zo traag dat een wandelaar mij inhaalt. Nog even en ik moet afstappen – de gruwel van elke fietser. De afkeer van het afstappen houdt mij op de been. Maar hoeveel heuvels kan ik dit nog volhouden? Ik ben nog niet eens in de hoge Ardennen beland. Ik mis nu mijn fietsmaatje, iemand met wie ik samen zou kunnen lijden en schelden. Maar mijn vader is dood.

Op dat moment moet ik denken aan het verhaal 'Het grote stikken' van Anton Koolhaas. De held is Wampoei, een oude snoek die in een verwaarloosde vijver in een plantsoen woont. Hij is de enige snoek in de vijver, en met groot gemak eet hij elke vis op waar hij zin in heeft. Wampoei is trots op zijn roofkunsten en bij gebrek aan andere snoeken of bewonderaars verzint hij een publiek dat hij 'ziet' als hij zijn ogen naar achteren draait. Ze zitten in zijn hoofd en sporen hem aan in de aanval te gaan. Na het opslokken volgt gejuich. De enige die hij niet opeet is het vrolijke bliekje Wissus, die zo achterlijk is dat hij het gevaar van Wampoei niet ziet. Vlak voor de ogen van de snoek maakt hij allemaal buitelingen en roept dan: 'Voor een bliek niet gek.' Uiteindelijk verslindt Wampoei Wissus natuurlijk wel en is hij zijn enige maatje kwijt. In een bui van razernij richt hij een slachting aan in de vijver tot een visser hem eruit haalt – het grote stikken.

Ik probeer Wampoeis trucje met een imaginair publiek over te nemen. In mijn hoofd staat er een meute mensen langs de dorpsstraat. Ze schreeuwen mij de heuvel op. De meesten versta ik niet, want ze praten Frans of een of ander Vlaams dialect, maar ik begrijp hun intenties. Ik mag ze niet teleurstellen. Een toeschouwer rent met me mee. 'Niet afstappen!' roept hij. Ik kijk naar de heuvel en zie hem als een vijand die ik moet verslaan. Als ik afstap heb ik verloren. Mijn hart bonst bijna uit mijn borstkas, het zweet loopt langs mijn wenkbrauwen, ik heb bijna niet meer genoeg vaart om overeind te blijven. Maar ik moet die heuvel halen. Ik mag op mijn pedalen staan, ik mag zigzaggen. Maar ik mag ze niet teleurstellen. De helling wordt nog steiler, altijd wordt de helling vlak voor de top nog steiler. De heuvel is een sadist, maar ik zal hem bedwingen. Ik ben verzuurd en ik heb kramp in mijn kuiten en polsen, maar ik fiets door.

Ik zie mijn vader voor me, aan de andere kant van de pingpongtafel. Ik ben een jaar of twaalf, we staan in de achterkamer van het ouderlijk huis. Het is ook onze eettafel als we gasten hebben – wat niet vaak gebeurt. Maar nu wordt er gepingpongd. Er wordt gepingpongd alsof ons leven ervan afhangt. Normaal laten ouders hun kinderen wel een potje winnen. Mijn vader niet. Elke service is om te winnen. Elke smash is genadeloos hard. Dat hij tegen een twaalfjarige speelt doet er niet toe. En dat is nog niet het ergste: het ergste zijn de rally's, waarbij hij mij eindeloos van links naar rechts laat rennen. Het balletje valt in de uiterste linkerhoek, dan weer in de uiterste rechterhoek. Ik ren mij suf om het bij te houden. Mijn hart bonst in mijn keel. Als ik eindelijk uitgeput ben maakt hij het af met een smash door het midden.

Huilend bereik ik de top van de heuvel. Het is echt de top, de weg verdwijnt niet achter een bocht. Ik zie hem heerlijk naar beneden slingeren. Verderop gaat hij weer omhoog, maar dat is van later zorg. Nu mag ik afstappen en een halve bidon leegdrinken, want ik heb het verdiend.

De volgende heuvel is natuurlijk nog steiler en langer dan de vorige. Ik moet denken aan een ezel die ik heb gezien in India, in Bihar om precies te zijn. Ik was daar om een nieuwe serie op te nemen voor de VPRO. We stonden, zoals gebruikelijk, in de file en hadden alle tijd om te kijken naar de massa van lukraak plassende mensen, karren en kippen die India India maken. Een ezel met een uitzonderlijk zware kar, waarvan ik mij niet eens kon voorstellen dat zeven ezels die voort konden trekken, zakte door zijn hoeven. Het dier was uitgehongerd, je kon de ribben tellen. Op zijn bek stond schuim, zijn hoofd legde hij op de grond en ik twijfelde of hij nog wel leefde. De menner van de kar kennelijk ook, hij klom van zijn bok en hurkte naast de ezel neer. Wat een bijzondere band met dieren hadden die Indiërs toch, dacht ik nog. De menner greep een dikke bamboestok van de kar, liep terug naar de ezel en gaf hem een ongenadig harde klap op zijn ribbenkast. Ondanks het lawaai van Indiase muziek uit een slechte speaker, het ratelen van een suikerrietpers, een dieselaggregaat en een koor van autoclaxons, die ook India India maken, hoorde ik het bamboe tegen de ribben slaan, maar de ezel gaf geen sjoege. Er volgde een tweede, zo mogelijk nog hardere klap. Een stuk bamboe brak af, de ezel hees zich op zijn voorhoeven. Nog een klap, dit keer tegen zijn achterwerk. Even later liep de ezel weer, alsof er niets gebeurd was.

Op die tweede heuvel ben ik die ezel. Eigenlijk ben ik al dood, maar toch moet ik door. Een peloton wielrenners flitst voorbij, de laatste draait zich om en kijkt spottend naar de ezel. Maar ook deze heuvel haalt de ezel zonder af te stappen. En de volgende ook. En het dozijn andere van die dag ook.

's Avonds, op de camping bij Spa, stel ik het plassen zo lang mogelijk uit. Dit is het moment van de waarheid. In een opnieuw ijskoud en verlaten wc-blok grijp ik in mijn fietsbroek en voel mijn lul. Hoera! Alles doet het weer. Door het klimmen en dalen in de heuvels werd ik gedwongen om af en toe van positie te veranderen.

Gerustgesteld ga ik verder in Knausgård. Wat een wonderlijk proza is dit. Ik weet niet eens zeker of je het wel proza kunt noemen, het is meer een extreem gedetailleerde opsomming van zijn leven. Die avond lees ik dat Knausgård naar een oudejaarsfeestje gaat. Hij heeft biertjes gesmokkeld en loopt door de sneeuw naar het feest. Op het feest ziet hij een meisje dat hij leuk vindt, maar hij durft niet met haar te praten. Deze passage neemt meer dan vijftig bladzijden in beslag. Af en toe is het hemeltergend saai en af en toe is er een interessant detail. Een paar keer sta ik op het punt te stoppen met dit boek, maar iets houdt mij aan het lezen.

SPA
-
ETTELBRUCK

's Ochtends regent het als ik de spullen inpak. De plotselinge klimpartijen en afdalingen moeten maar wachten, ik kan nog even genieten van mijn ochtendritueel. Het heeft iets fijns om de tent op te vouwen, alles in de juiste fietstas te stoppen en te voelen of de fiets in balans is. Ik word er ook steeds handiger in en dat geeft weer zelfvertrouwen. Mijn dagen zijn heel overzichtelijk. Ik ben aan het fietsen, en als ik niet fiets, dan slaap ik. Ik houd van die voorspelbaarheid. Langzaam maar zeker voel ik dat ik rustiger word in mijn hoofd.

Het klimmen door de Ardennen gaat nog twee dagen door. Het enige wat ik nog registreer zijn wat flarden tussen de ellende door. De zon die doorbreekt op de top van een heuvel. De tent die te drogen hangt over een slagboom, de zon die mij voor het eerst warmhoudt als ik stilsta. De schoonheid van de Ardennen rond La Gleize. De omgeving die steeds rustiger en rauwer wordt. En uiteindelijk: de heuvels die steeds minder hoog worden. De weides nemen weer de plaats in van de bossen.

Het mooie aan fietsen is dat je het landschap echt voelt. Je kunt voelen wat dat nou is, 'de Ardennen' of 'Nederland'. Als je wandelt zie je het landschap niet veranderen, daar gaat het dan te geleidelijk voor. Met de auto gaat het juist weer te snel. Maar met twintig kilometer per uur ga je traag genoeg om details te zien en snel genoeg om de verandering ook daadwerkelijk waar te nemen. Nog iets moois: fietsen is per afgelegde kilometer het meest energie-efficiënte vervoermiddel, nog efficiënter dan wandelen. Om de een of andere reden geeft dat ook voldoening.

Bij Bastenaken steek ik de grens over naar Luxemburg: een glorieuze afdaling door velden met koolzaad, overal waar ik kijk is het geel. Luxemburg blijkt een soort fietsparadijs te zijn met vrijliggende fietspaden van glad asfalt. Op de camping in Ettelbruck vind ik het tijd voor het oude ritueel van de fietstochten met mijn vader. De fles wijn koop ik in de campingwinkel. Ik ga in mijn hangmat zitten en kijk uit op de Sûre. Ik heb geen zin om de hele fles te drinken, maar een halfvolle fles weggooien is nog erger, dus drink ik hem toch maar helemaal leeg. Delen gaat niet, opnieuw is de camping verlaten.

Na het wijn drinken bij de supermarkt en het beledigen van de serveerster kwam altijd het slapen in de hotelkamer. Mijn vader deed dan eindelijk zijn overhemd met enorme zweetvlekken uit en ging onder de douche, waar hij zich schoor zonder scheergel of spiegel. Met een bebloed gezicht kwam hij dan naast mij liggen. Vrij snel ging het licht uit, waarna de echte gesprekken begonnen. Over de liefde en soms zelfs over ons gezin. Mijn vader viel meestal als eerste in slaap, per slot van rekening had hij bijna alleen de fles leeggedronken. De geur van het overhemd waarde dan nog steeds door de kamer. Het was ongelooflijk dat die geur niet minder werd, elke keer dat ik inademde dacht ik: papa.

Die geur was overigens heel aangenaam, voor mij in ieder geval. De eerste jaren na de dood van mijn moeder kroop ik vroeg in de ochtend, in een soort halfslaap, in het bed van mijn vader. Het was een rond bed, een reliek uit de jaren zeventig. Ergens in die cirkel lag mijn vader, en dan ging ik boven op hem liggen. De geur van zijn zweet maakte mij rustig. Het verhaal gaat dat ik op een ochtend, toen mijn vader bezoek had van een of andere scharrel, in de deuropening zou zijn blijven staan en zou hebben gezegd: 'Het stinkt hier naar vis.'

Weer zo'n gebeurtenis die al dan niet heeft plaatsgevonden. Wat klopt er eigenlijk van mijn jeugd? Volgens mijn vader had ik een kuil in mijn wang omdat ik als peuter voor een dartbord liep en iemand een pijltje in mijn wang gooide. Dit is waarschijnlijk het meest extreme voorbeeld, maar er zijn genoeg verhalen die misschien wel gebeurd zijn. Een soort kwantumjeugd.

Hij bezat de kunst om dingen zo stellig te zeggen dat je ze ging geloven. De sterkte van de stelligheid won het van de onwaarschijnlijkheid van de mededeling. Zo kon hij mij alles wijsmaken; zoals 'Ik zat ooit bij de Black Panthers' of 'Ik belandde ooit in de gevangenis omdat ik met zwarten vooraan in de bus ging zitten'. Zo zou hij ook onder meer de magnetron hebben uitgevonden. En het internet. Later ging ik natuurlijk wel twijfelen aan al deze mededelingen. Daardoor ga ik er per definitie nooit van uit dat iemand de waarheid spreekt. Want als je vader tegen je liegt, wie kun je dan wel nog geloven? Op zich geen slechte eigenschap natuurlijk, voor een journalist in ieder geval. En toch: ik wist nooit helemaal zeker dat het niet waar was. Hij was nou eenmaal een wonderlijk stripfiguur, en die maken wonderlijke dingen mee. Toen ik een abonnement op *The New York Times* nam, kreeg ik er toegang tot het archief bij. Zonder erbij na te denken tikte ik de zoekterm 'Brandt Corstius' in. Er kwam één resultaat uit. Een artikel van 1 september 1961 met de kop 'DUTCH WRITER FREED – New Orleans judge drops charges in race incident.' Bleek dat hij was opgepakt toen hij met Afro-Amerikanen voor in de bus was gaan zitten.

ETTELBRUCK
-
BETTELAINVILLE

Voor ik het weet fiets ik Luxemburg uit en steek ik bij Dudelange de grens over naar Frankrijk. Direct doemen de koeltorens op van een kerncentrale. Zoals elk land heeft Frankrijk de centrale bij de grens neergezet, zodat de radioactieve wolk in dit geval naar Luxemburg kan drijven. Voor me ligt het land waar het grootste gedeelte van mijn fietstocht doorheen zal gaan. Ik wil de drukte van Nancy en Metz vermijden. Hierdoor zal ik mogelijk wat moeilijker een slaapplaats kunnen vinden, maar liever af en toe zoeken naar een camping dan over ongezellige, drukke provinciale wegen fietsen waar Fransen je van je sokken rijden. De tocht gaat van verlaten D-weg naar verlaten D-weg.

Het Noord-Franse landschap golft langzaam op en neer. De dorpen liggen altijd boven op de heuvel met het oog op invasies en dergelijke, dus dan is het klimmen. Ik heb mij ingesteld op de lelijkheid van Noord-Frankrijk, maar toch valt het niet mee. Elk dorp is onveranderlijk lelijk. De huizen zijn liefdeloos gebouwd en grauw afgewerkt. Af en toe stop ik voor koffie bij een tabac die uitzicht biedt op nog meer lelijkheid. Aan de bar staan mannen met een glas *1664*. Waarschijnlijk staan ze er al de hele ochtend. Ze roepen af en toe wat; het moet echt Frans zijn, maar ik versta er niets van. Zowel de mannen als de vrouwen lijken op Eddy Wally.

En zo gaat het van dorp naar dorp, van heuvel naar heuvel. Niet zo steil als in de Ardennen, maar om de zoveel tijd zit er een venijnige klim tussen. Mijn benen zijn intussen sterk genoeg om niet continu te verzuren. Het duizelt niet meer voor mijn ogen. Halverwege tussen twee dorpen stop ik om Yolanthe wat beter op mijn fiets te zetten. Er komt een jongen aanfietsen, hij stopt naast me. Hij komt ook van ver, maak ik op uit zijn fietstassen. Het is uiteraard een Nederlander. Als ik hem vertel dat ik onderweg ben naar de Middellandse Zee zegt hij: 'Ja, daar moet ik ook naartoe. En daarna door naar Spanje. Ik ga wat rondfietsen in de Sierra Nevada.' De rit vanuit Nederland heeft hij in drie dagen gedaan. 'Ik ook,' zeg ik. Hij ziet aan mij dat ik lieg. Ik vraag hem naar zijn bagage. Op de een of andere manier lukt het hem ook nog eens om zonder Yolanthe te reizen. Twee fietstassen achter, dat is alles. Hij heeft een set kleding, geen slaapmat en een eenpersoonstent, vertelt hij. En geen mondharmonica en geen waterreservoir, vermoed ik. Net zomin als een satijnen zakje met asresten van zijn vader. We groeten elkaar en hij sprint de heuvel op. Door de Sierra Nevada fietsen, en dan ook nog zonder slaapmat. Waarom zou je dat jezelf aandoen, vraag ik mij af. Aan de andere kant: wat doe ik mezelf aan?

Het is bekend terrein. Een jaar voor de dood van mijn vader heb ik ook een fietstocht gemaakt in Noord-Frankrijk. Het was voor het eerst dat wij in het buitenland gingen fietsen, en voor het eerst niet een weekend maar een week. Voor het eerst ging de tocht door heuvels, en voor het eerst moest dat op een fiets met versnellingen. Als klap op de vuurpijl: het was een groepsreis. Het fietsen deed iedereen op eigen gelegenheid, maar elke avond moesten we in groepsverband aan een tafel dineren. Toen ik me dat van tevoren probeerde voor te stellen, mijn vader in groepsverband, had ik afwisselend een lach- en een paniekaanval. Maar we gingen toch.

Gelukkig was mijn vader rond die tijd ineens veel milder en socialer geworden. Achteraf gezien had dit waarschijnlijk ook te maken met zijn goed verborgen dementie.

De reis was een groot succes. Sterker nog: ik had het idee dat mijn vader het op de avonden in groeps-verband meer naar zijn zin had dan overdag op de fiets. Hij was meestal de laatste die van tafel ging, en het kwam voor dat ik hem de hele maaltijd niet sprak omdat hij met iedereen zat te babbelen. Was dit de-zelfde man die vroeger achter het gordijn ging staan als er iemand aanbelde?

Brigitte, de eigenares van het huis waar wij logeer-den, bleek een zeldzaam natuurtalent in het omgaan met mijn vader: ze ging niet in op zijn provocaties maar riep alleen af en toe 'vous êtes fou!' Alsof ze het aanvoelde wees ze mijn vader de rommelkamer toe om te slapen, waar hij het enorm naar zijn zin had tussen de in plastic verpakte bankstellen en lege vogelkooien. De broer van Brigitte gaf op een avond een concert in de leeszaal; tot mijn stomme verbazing wilde mijn vader daarheen en luisterde hij aandachtig.

Het fietsen ging wat moeizamer. Uiteraard weigerde mijn vader aanvankelijk de versnellingen te gebruiken – die waren toch nergens voor nodig? Maar later zag ik dat hij ze toch gebruikte. Hij zei er natuurlijk niets over. Ik deed maar alsof ik het niet had gezien. Toen viel mij al op hoe leeg Noord-Frankrijk is; nog zoiets wat je niet doorhebt als je met de auto langs Nancy en Metz naar het zuiden rijdt. Soms kwamen we een hele dag geen auto tegen. De dorpen waar we doorheen reden hadden niet eens een bakker, al was er altijd wel een baguette-automaat. Gelukkig hadden we het lunchpakket van Brigitte.

Op de zesde dag van de groepsreis was het de warmste dag van het jaar. Het was achtendertig graden en onbewolkt, zo'n dag waarop het asfalt zacht wordt. Mijn vader weigerde een petje op zijn kale hoofd te zetten. Hij weigerde ook om langzamer te fietsen; met moeite hield ik hem bij. Voor de lunch hadden we geluk: er was een pizzeria. Ik dronk een fles water, mijn vader een karafje wijn. Ik at mijn pizza met mes en vork, mijn vader hield de hele pizza voor zijn mond en at hem op zonder hem op een of andere manier in kleinere stukken op te delen. Misschien omdat hij dronken was, misschien omdat hij graag wilde dat ik me voor hem zou schamen (wat niet lukte; later in de vakantie zou het hem wel lukken toen hij bij een relais een hele stapel buitenlandse kranten in zijn colbert stak).

We fietsten weer verder door de hitte. Het petloze hoofd van mijn vader was rood van wijn en zon. In de verkoeling van een bos stopte hij. 'Even rusten,' zei hij. Wat hij volgens mij bedoelde was: Ik heb een zonnesteek. Maar dat kon hij niet zeggen, want dan zou hij impliciet toegeven dat mijn bezorgdheid terecht was. Na vijf minuten in het bos zei hij: 'Het gaat wel weer.' Ik ging achter hem fietsen, en ik zag dat het nog steeds helemaal niet ging. Hij fietste als een toerist in Amsterdam: onzeker, langzaam, slingerend. In het volgende bos stopten we opnieuw. 'Even rusten.' Nu bleef hij niet meer staan, maar ging in de schaduw op het mos zitten. Opnieuw op een manier alsof hij tegemoet moest komen aan zijn interesse in de lokale flora en fauna. Toen hij na vijf minuten 'het gaat wel weer' zei, zei ik dat ik niet verder zou fietsen als hij zijn pet niet opzette. Tot mijn verbazing gehoorzaamde hij. Dit had ik nog nooit meegemaakt, en dit zou ik ook nooit meer meemaken.

Opnieuw geslinger met de fiets. Ik begon me nu echt zorgen te maken. We waren zeker op anderhalf uur fietsen van ons logeeradres, met dit tempo drie uur. Zou hij het wel volhouden?

Na een halfuur stopten we weer, dit keer in de

brandende zon. 'Het gaat niet meer,' zei mijn vader hijgend. Ik was geschokt. Dit had ik mijn vader nog nooit in zijn leven horen zeggen. Ik legde hem in de berm in de schaduw met een fles water. Bij wijze van kussen schoof ik onze niet-opgegeten lunchpakketjes onder zijn hoofd en reed ik zo snel mogelijk terug naar het huis van Brigitte zonder uitgebreid afscheid van mijn vader te nemen; ik hoopte zo te bezweren dat hij daar in mijn afwezigheid dood zou gaan.

Het was de eerste keer dat ik me realiseerde dat mijn vader ook ooit zou sterven. Misschien had ik er nooit over nagedacht omdat mijn moeder zo vroeg was overleden. Ik weigerde er gewoon aan te denken. In mijn onbewuste gebeurde het wel. Ik droomde regelmatig dat ik het stuur overnam van mijn vader in een rijdende auto, mijn zussen op de achterbank. Dan werd ik wakker en stoorde ik mij aan de toegankelijke symboliek. Of ik droomde dat een terrorist ergens in Afrika een pistool tegen de slaap van mijn vader hield. Ik moest kiezen: mijn vader dood, of een willekeurig Afrikaans kind. Ik koos voor het kind, waarop dat werd afgeknald. Vervolgens hield de terrorist een nieuw kind voor mijn neus en stelde hij me voor dezelfde keuze. Dat ging dan net zo lang door tot ik mijn vader koos.

Maar ik had nooit over de dood van mijn vader als een concrete gebeurtenis nagedacht, zeker niet op korte termijn. Zo snel ik kon fietste ik naar het huis. De broer van de eigenares had om de een of andere reden een Londense taxi en daarmee pikten wij mijn vader op. Die lag, anderhalf uur later, nog vredig in de berm zijn roes uit te slapen.

Niet alleen met de fietsgroep kon hij het goed vinden, ook tussen hem en mij ging het die reis uitstekend. Ik heb mijn vader nog nooit zo mild en geduldig meegemaakt. We genoten allebei van het fietsen en van het rommelige huis. Na het fietsen lazen we in de tuin of sprongen we in de rivier die langs de tuin liep.

Ik kan mij maar één moment van ergernis herinneren. Het was een zondagochtend en na een steile beklimming bereikten we het gehucht Jarzé. Op een bankje genoten we van het uitzicht vanaf de heuvel die we zojuist hadden bedwongen. Achter ons kwam vanuit het dorpskerkje gezang van de zondagmis. We keken naar binnen: de kerk zat bomvol. De priester was zojuist aan zijn dienst begonnen. Mijn vader liep over het gangpad naar voren en bleef vlak voor het altaar staan. Hij deed geen enkele poging om te gaan zitten, maar keek rond alsof hij alleen in de kerk was. Vanuit de deuropening keek ik toe. Ik hoopte maar dat ik niet geassocieerd zou worden met deze gek en hield me schuil. Ik had nog net genoeg zicht om te kunnen zien hoe dit ging aflopen. Gemompel steeg op vanuit de banken. Op de eerste rij zag ik een familie inschikken. Mijn vader nam plaats naast de twee zoons, netjes in pak, scheiding in het haar. De priester hervatte zijn gebed.

Daar zat hij dan, in zijn roze overhemd met zweetplekken en korte broek. Zijn bezwete hoofd met een grimas zoals hij altijd trok als hij geconcentreerd naar iets keek. Vooral zijn mond ging dan tekeer. Zoals je mond zou bewegen als je op een halve citroen moet kauwen. Op momenten dat andere mensen ontspannen, spande hij zich nog verder in. Het was dezelfde blik die hij trok als hij de krant las, of als hij naar het achtuurjournaal keek in de tijd dat hij nog dagelijks een column schreef voor *de Volkskrant*. Als je het waagde om tijdens het journaal je mond open te trekken werd hij ziedend. Evengoed viel hij na het eerste onderwerp steevast in slaap. Na het journaal verdween hij dan naar zijn werkkamer om zijn stukje te tikken. Met het geluid van de typemachine viel ik meestal in slaap. Toen hij overschakelde op een computer met toetsenbord bleef hij net zo genadeloos hard op de toetsen rammen. Elk half jaar moest er een nieuw toetsenbord komen. Toen vond ik het natuurlijk vervelend als mijn vader mij afsnauwde. Nu vind ik het een wonder dat hij met drie jengelende kinderen überhaupt nog in staat was er elke dag een stukje uit te persen.

Na een minuut stond hij weer op en liep de kerk uit, opnieuw midden in het gebed. 'Mooi kerkje, hè?' riep hij mij toe vanaf het gangpad. Opnieuw onderbrak de priester zijn gebed. Toen we verder fietsten vroeg ik mij af waarom dit allemaal was gebeurd. Had hij echt niet door dat hij zich lomp gedroeg? Of was het juist de bedoeling om deze mensen te choqueren? Of mij? De opmerking over het mooie kerkje duidde daar wel op. Met het geschreeuw betrok hij zijn zoon, die zich zo strategisch achter de voordeur had opgesteld, ook bij de scène: een aantal hoofden had zich mijn kant op gedraaid. Voor de lol vroeg ik hem waarom hij dit had gedaan, maar ik kon het antwoord al dromen: 'Pirelli.' Als ik hem een vraag stelde waar hij geen antwoord op wilde geven was het antwoord altijd 'Pirelli'. 'Waarom draait de aarde niet onder je voeten door als je in de lucht springt?' 'Pirelli.' 'Waarom staan er geen ingrediënten vermeld op een flesje Lactacyd?' 'Pirelli.' 'Waarom eet je geen vlees, pap?' 'Pirelli.'

Ik heb lang mijn hersens gepijnigd over de vraag waarom mijn vader zo in elkaar zat. Waarom voor dat altaar staan? Waarom die serveerster nét hoorbaar beledigen? Waarom iedereen afkraken in al die columns? Misschien wilde hij gewoon dat mensen hem vervelend vonden. Misschien was het wel zo simpel. Maar waaróm zou je vervelend gevonden willen worden? Pirelli.

Toen Theo van Gogh was vermoord fietste ik bij mijn vader langs. Jarenlang had hij een polemiek met Van Gogh gehad die steeds smeriger werd. Van Gogh had ons telefoonnummer in de krant gezet, waardoor we telkens door gekken werden gebeld. Hij had geschreven dat mijn vader het met mijn zussen deed. Dat zijn de dingen die ik mij herinner. Ik maak mij geen illusies, mijn vader was vast geen haar beter. Toen ik een jaar of veertien was – de polemiek was op haar hoogtepunt – stond ik met mijn zus bij het

Rijksmuseum voor een rood stoplicht. Van Gogh stopte naast ons. Vlak voordat we wegfietsten scholden we hem helemaal verrot. Ik kan mij die blik van Van Gogh nog precies herinneren: een glimlach met pretoogjes.

Toen ik na de moord op Van Gogh bij mijn vader kwam zat hij verslagen op de bank. Het was al bijna donker, maar het licht was uit. Hij staarde wezenloos voor zich uit. Zou het nu pas tot hem doordringen dat je mensen ook kunt kwetsen met woorden? Dat het voor de meeste mensen, eigenlijk voor iedereen behalve voor mijn vader en Van Gogh, geen sport was om anderen te beledigen? Zelf kon mijn vader niet gekwetst worden, daar ben ik van overtuigd. Voor hem waren woorden niet echt; geen wonder dat hij er zo graag mee speelde.

Bij de dood van Fortuyn ging het overigens heel anders. Ik liep toen stage bij Barend & Van Dorp, we zonden uit vanuit het Kurhaus. We zaten midden in het nieuws, we maakten het nieuws. De avond voor de verkiezingen zou Fortuyn bij ons zitten. Zover kwam het dus niet. Diezelfde middag was mijn vader vanuit Amsterdam naar het Kurhaus gefietst. Ineens kwam hij de redactie op denderen, in korte broek en met indrukwekkende zweetvlekken. Op het moment dat wij hoorden over de moord lag hij bij te komen in mijn hotelkamer. Ik rende naar de kamer om het nieuws te melden. Mijn vader was half in slaap. 'Fortuyn is doodgeschoten!' schreeuwde ik. 'Ik heb een alibi!' riep hij triomfantelijk terug, en hij lachte hard om zijn eigen, kostelijke grap.

Het was natuurlijk ook een kostelijke grap. Maar het had ook iets griezeligs, dat iemand in staat is om vanuit zijn halfslaap zo ad rem te reageren zonder een tussenopmerking als 'Wat erg!' of 'Hoezo dan?' Alsof het leven één grote grap is.

BETTELAINVILLE

-

BOS NABIJ ARRIANCE

's Avonds overnacht ik op een zeer deprimerende *camping municipal*. Bij de receptie wijst een Nederlander mij erop dat Rusland díe kant op is.

Die nacht heeft mijn lichaam er genoeg van. Het heeft het de afgelopen dagen op adrenaline en vetreserves volgehouden, maar nu zijn de reserves op. Mijn lichaam heeft doorgekregen dat dit gefiets niet iets tijdelijks is, maar een nieuwe manier van leven en daar is het kennelijk nog niet klaar voor. Ik word wakker met mijn kussen vol snot. Tijdens het fietsen gutst het uit mijn neus omlaag, het druppelt van mijn kin in de fietsketting. Mijn handen zitten door het vele remmen in een klauwachtige houding. Mijn kuiten schieten voortdurend in de kramp. Ik slalom over de weg, een auto raast toeterend voorbij. En dan begint het langzaam weer te regenen. Moe en miserabel stap ik de eerste de beste apotheek binnen voor wat *mouchoirs*. Ik gooi de volgesnoten zakdoekjes tijdens de rest van de tocht in de berm, als de broodkruimels van Hans en Grietje. Rond het middaguur beland ik in een of ander *foret communale*. Ik stap van mijn fiets en sta te tollen op mijn benen. Het volgende dorp is pas weer veertig kilometer verderop. Dat gaat niet meer. Mijn watervoorraad is nog in orde, en ik besluit een siësta in het bos te houden.

Met de fiets loop ik het bos in. Eerst over een onverhard pad, dan over een houthakkersweg. Diep in het bos, bij een beekje, hang ik de reishangmat op tussen twee sparren, trek mijn schoenen uit, vis de slaapzak uit Yolanthe en kruip erin.

Als ik wakker word is het alweer donker. Het is gestopt met regenen. Ik voel mij nog steeds te beroerd om de veertig kilometer naar de beschaving te fietsen. Bij het beekje was ik het ergste snot van mijn gezicht, spoel mijn shirt uit, wissel van fietsbroek en vul een pannetje met water. Uit mijn voorraad noodrantsoenen haal ik een pak gedroogde pasta carbonara van de Xenos, wat precies zo lekker is als het klinkt. Met mijn hoofdlamp ga ik op zoek naar een vlak stuk grond om de tent op te zetten. Niet te nat, niet te schuin. Die plek bestaat niet. Met mijn laatste krachten ga ik weer met mijn slaapzak in de hangmat liggen. Na enig gemanoeuvreer hang ik min of meer recht.

Ik prijs mij gelukkig met de usb-lader die is aangesloten op mijn dynamo; de batterij van mijn telefoon is bijna vol en ik ga verder in Knausgård, die weer iets volstrekt oninteressants meemaakt. Toch heb ik wel bewondering voor hem. Hij weet van niets iets te maken, en dat is ook een kunst. Tijdens het lezen krijg ik een sms'je. 'Hoe gaat het rouwen?' vraagt een vriend. Het is altijd schrikken als iemand die je hoog hebt zitten opeens een stompzinnige opmerking maakt. Zo heb ik ook vrienden, goede vrienden, die *La grande bellezza* een goede film vinden. Dat voelt toch een beetje als verraad van de vriendschap.

Ik probeer me voor te stellen hoe dat gaat, rouwen. Op een bank zitten en huilen? Het liefst in het zwart, met een voile over mijn hoofd? Een kaarsje opsteken? Rouwen is ook een wonderlijke term. Het impliceert een voortdurende activiteit. Maar zo gaat het helemaal niet. Zodra een naaste dood is, ben je een week lang bezig om adressen bij elkaar te zoeken, te overleggen met de begrafenisondernemer, ruzie te maken met familie, een toespraak te schrijven, een crematiekloffie te kopen en wildvreemde familieleden te spreken. Het laatste waar je aan denkt is treuren om de dode. Zo was het bij mij in ieder geval. En hoezo had ik moeten treuren eigenlijk? Ik ben blij dat mijn vader oud is geworden en nauwelijks heeft hoeven lijden.

Nu ik er goed over nadenk: het rouwen vond plaats toen hij nog leefde. Door dementie verandert iemand fundamenteel. Je neemt eigenlijk al afscheid van de persoon zonder dementie. Er zijn nog wel wat overeenkomsten tussen die twee mensen, maar ze zijn absoluut verschillend, zoals een tweeling.

In de laatste maanden duwde ik mijn vader eens in de paar dagen in zijn rolstoel naar het Vondelpark. In het Blauwe Theehuis dronken we dan een kopje koffie, waarvan steeds minder in zijn mond belandde. Maar dat maakte niet uit, we waren in ieder geval op stap. Eén van die keren kwam er een zwerver naar ons toe. Tenminste, ik ga ervan uit dat hij een zwerver was: het was december en hij had geen schoenen aan. En hij had zich al enige tijd niet geschoren. In zijn hand had hij een half geopend pak glacékoeken. Het bleek een oud-student van mijn vader te zijn. 'Je colleges waren echt geweldig en inspirerend,' zei de zwerver. Mijn vader knikte. Hij begreep nog wel dat het over hem ging, maar hij had geen idee meer wat er precies gezegd werd. Dat moeten meemaken is ook rouwen.

Of toen wij samen naar ons zomerhuisje in Petten gingen, met de rolstoel onhandig achter in de Jaguar geklemd. Al sinds mijn geboorte kwam ik hier elke zomer. Het was guur weer; toen we naar het strand gingen, kwamen we niemand tegen. Honderd meter voor het strand had de storm zand uit de duinen op het pad geblazen, de rolstoel kwam vast te zitten. Mijn vader gebaarde dat ik hem uit de stoel moest halen. Samen liepen wij voetje voor voetje naar het bankje boven op het duin, met het onveranderlijke uitzicht van de vuurtoren van Texel uiterst rechts en de boezem van de Hondsbossche Zeewering links. Hier beneden hadden mijn zussen en ik vaak hele zomervakanties met onze vader op het strand gezeten, meestal in een door Duitse toeristen gegraven kuil, die die kuil vervolgens ook kwamen opeisen.

Mijn vader probeerde iets te zeggen, maar ik kon het door het geraas niet horen. Het praten ging steeds lastiger. 'Dit is de laatste keer dat ik de zee zie,' fluisterde hij.

Ik wist niet wat ik hierop moest zeggen. Samen keken wij naar de branding, die een geweldige hoeveelheid schuim achterliet. En naar de duinen en de zandkorrels die als spoken over het strand dansten.

Het was de bedoeling dat we de hele dag in het huisje zouden doorbrengen, maar toen ik het huisje had warmgestookt fluisterde hij dat hij moe was en naar huis wilde. Ik associeerde Petten zo met de vitale papa van vroeger dat ik niet doorhad dat ik nu een andere vader had. Hij ging op de divan liggen, en ik kroop bij hem. Ik hield hem vast, moest huilen en zei hem dat ik zo verschrikkelijk veel van hem hield. Hij zei niks, maar hield mij vast en dat was genoeg. Er zijn mensen die spijt hebben omdat ze bepaalde dingen niet tegen hun ouders hebben gezegd; dat heb ik in ieder geval niet. Ik heb alles gezegd en ook alles gevraagd. Soms kreeg ik een knuffel, soms een Pirelli. Samen liggen op de divan in Petten, dat was rouwen.

BOS NABIJ ARRIANCE

-

CHARMES

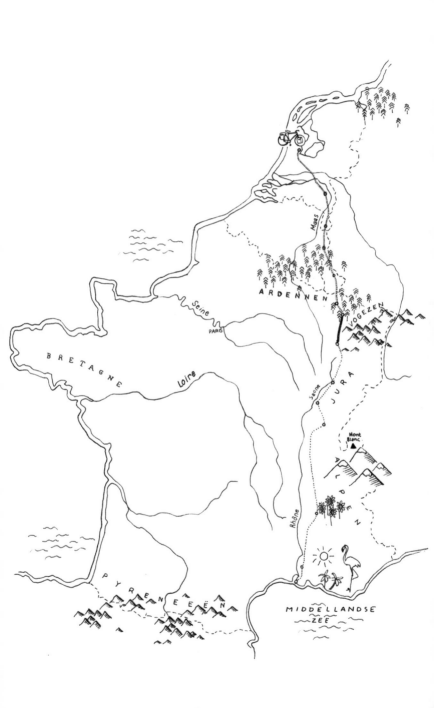

Ik zou willen dat de vogels mij wakker maakten, of het geruis van de bomen, maar het is een heftige kramp in mijn linkerkuit. Door het strekken van mijn been val ik uit de hangmat en lig ik enige tijd op het natte mos, waar ik luister naar de vogels en de bomen. Na een zeer matige havermoutpap met de smaak van spaghetti carbonara stap ik in de ochtend-schemer op mijn fiets. Eigenlijk ben ik nog helemaal niet beter, maar in het bos blijven gaat ook niet meer; het water is op. De zakdoekjes wijzen me het bos uit.

Na een paar uur fietsen wordt het landschap on-derbroken door een grote schoenendoos. Het is een hypermarché van E. Leclerc. Ik ben ze onderweg al vaker tegengekomen. Ze komen altijd als een schok van beschaving, als je net een paar uur in een verlaten landschap hebt gefietst met alleen af en toe een leeg dorp. Pas als je door Frankrijk fietst merk je hoe leeg dit land is. Vanaf de grens met Luxemburg heb ik het aantal stoplichten geteld. Het zijn er acht. En als je al door een dorp fietst lijkt er niemand te wonen. De luiken zijn dicht, de cafés en de bakkers meestal ook.

Het enige gezelschap zijn blaffende honden en hier en daar een boer op een tractor. En ineens sta je dan op een enorme parkeerplaats waar het krioelt van de Peugeots. De meest meedogenloze chauffeurs zijn zonder uitzondering huismoeders die hun kinderen naar school hebben gebracht en die nu in één vloeiende beweging hun auto inparkeren. *Mamans taxi* noemen de Fransen hen: moeders wier leven één grote logistieke operatie is geworden, van huis naar school naar hockey naar hypermarché.

Ik ben koud en moe, en besluit een kopje koffie te drinken in het café van de hypermarché. Bij binnenkomst word ik overweldigd door het tl-licht, de piepende kassa's, het gejengel van een kinderautootje waar je muntjes in moet gooien, de vage geur van groenten, waspoeder en vis waar elke supermarkt naar ruikt. Het heeft hetzelfde effect op mij als een ruimte betreden waar een drukke borrel aan de gang is: lichte paniek, een stemmetje in mijn hoofd dat zegt dat ik zo snel mogelijk weg moet wezen. Maar uiteindelijk valt het altijd mee.

Direct naast de ingang staan de elektronica, alsof mensen in een impulsaankoop plasmatelevisies kopen. Misschien is dat ook wel zo, want ik krijg meteen zin om een harde schijf te kopen die in de aanbieding is, hij ligt al in mijn mandje. Maar waar slaat dit eigenlijk op? Wat heb ik aan een harde schijf? Bovendien is mijn bagage al zwaar genoeg. Alweer denk ik aan de mondharmonica waar ik nog geen noot op heb gespeeld. Ik leg de harde schijf terug.

Het is warm en behaaglijk in de hypermarché, en aan het lawaai ben ik intussen gewend. Mijn jas en helm gooi ik in het mandje. Ik ga er eens lekker de tijd voor nemen – wat is er nou leuker dan een Franse hypermarché? Ik sta wel een kwartier voor de wand met geurboompjes voor in de auto, meer dan ik er ooit in mijn leven bij elkaar heb gezien. *Arbres magiques* heten ze in het Frans, wat een geweldige naam. Systematisch ga ik door de hele supermarkt tot ik alle gangpaden en alle producten heb bekeken, inclusief de paden met positiekleding en maandverband. Drie keer kom ik dezelfde vrouw tegen met een reusachtige boodschappenwagen waar telkens dezelfde drie producten in liggen. Is zij ook een hyperzwerver? Ik reken een fles water af bij de snelle rij.

In het café bestel ik een kopje koffie en de plat du jour. Zelfs in de hypermarché mag je niet overal gaan zitten, maar krijg je een plek toegewezen. En zelfs aan tafel heb je geen keus: één kant van de tafel wordt gedekt. In het kader van burgerlijke ongehoorzaamheid ga ik, zoals elke dag, aan de andere kant zitten en trek ik placemat en bestek naar me toe. Net zoals alle dagen hiervoor leidt dat tot misprijzende blikken van de bediening.

Mijn ober is erg kort. Net geen dwerg denk ik, maar wel erg kort. Ik probeer zo normaal mogelijk te bestellen, alsof ik elke dag word bediend door een dwergachtige. Ik vraag mij af of hij het verschil kan zien tussen mensen die doen alsof en mensen die het echt niks kan schelen.

Herboren fiets ik verder en pas 's avonds beland ik op een camping nabij Charmes. Charmes heeft zo zijn charmes zou ik willen schrijven, maar dat is niet zo. Er blijkt maar één restaurant te zijn in dit stadje, een chinees, en de eigenaar van de camping weet niet zeker of die open is. Het is een terugkerend probleem. Als je met de auto in Frankrijk reist heb je het idee dat elke Fransman een ontzettend lekkere Bib Gourmand om de hoek heeft. Maar als fietser heb je aan het eind van de dag niet de puf om naar een stadje tien kilometer verderop te fietsen. Je bent aangewezen op de plek waar je overnacht en daar is niet altijd alles. En als het er al is, is het niet altijd lekker. Het echte Franse eten is: een bordje oude sla met half rauwe spekjes, en een taaie biefstuk.

Hoopvol loop ik naar het restaurant. Het ziet er niet echt uit als een chinees, meer als een toko: aan weerszijden schappen met rijst, sojasaus en instant noedels. In het midden staan, wat onbeholpen, twee plastic tafeltjes. Aan een van de tafels zit een man in een leren jas een sigaret te roken. Zijn rugzak ligt op tafel. Een afhaler, gok ik. Ik neem plaats aan het andere tafeltje en een Chinese vrouw komt de keuken uit. Ze draagt een zwart leren rokje en een doorschijnende blouse waaronder haar bescheiden bh te zien is. Het is fijn om met iemand te praten die net zo slecht Frans spreekt als ikzelf. De man met de leren jas mengt zich in het gesprek. Op zijn aanraden bestel ik de gefrituurde garnalen erbij. 'Goddelijke garnalen,' zegt de man. 'En Luli is echt een geweldige gastvrouw.' Hij zegt daarna nog meer, maar ik versta er niks van. Hij schakelt over op het Engels. Nog steeds snap ik het niet, maar ik knik wanneer ik denk dat dat hoort. De Chinese zet mijn garnalen op tafel, met een biertje dat ik niet heb besteld. Uit de knipoog van de man begrijp ik dat ik het biertje van hem heb gekregen. 'Op uw Tour de France!' roept hij. Als Luli langs het tafeltje loopt trekt hij haar op schoot, zij neemt een slokje uit zijn flesje.

De garnalen zijn verbrand van buiten en bevroren van binnen. Ik loop naar de wc om mijn bidons te vullen. Het blijkt een badkamer te zijn; het is er warm en klam, de douche is net gebruikt. De bh, de natte haren van de man, de vieze garnalen, ineens heb ik het door: ik ben natuurlijk in een bordeel! Met twee tafels in de zaak om geen gedonder met de fiscus te krijgen. Als ik aan mijn hoofdgerecht zit komt de volgende klant binnen. Hij wacht geduldig tot ik mijn koffie op heb. Als ik de rekening betaal geeft Luli mij een knuffel. Ik besef dat ik sinds het begin van mijn reis nog geen enkel fysiek contact met iemand heb gehad. Getroost worden is altijd fijn, al is het door een hoer. Bij mijn vertrek zie ik dat ze het 'ouvert'-bordje omdraait.

CHARMES
-
PORT-SUR-SAONE

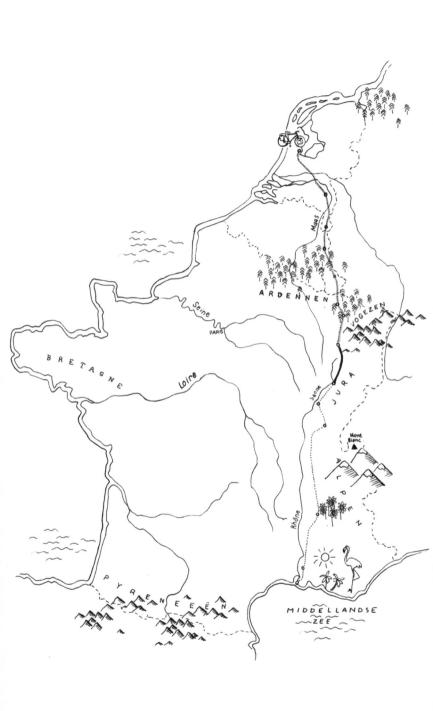

De volgende dag is het mijn eerste zondag in Frankrijk. Nu is alles dicht in Charmes: de bakker, de tabac en natuurlijk ook het bordeel. De rest van de dag hetzelfde verhaal: zelfs de machtige hypermarchés zijn gesloten. De parkeerplaatsen zijn helemaal leeg en doen denken aan het centrale plein van Minsk: troosteloos en reusachtig. Hier heb ik even niet op gerekend. En dat terwijl eindelijk de zon weer eens doorbreekt en het voor het eerst zo warm is dat ik mijn lange fietsbroek niet hoef aan te trekken. Juist voor dit soort situaties had ik natuurlijk mijn waterreservoir moeten vullen. Maar daar had ik dan twee uur en veertig kilometer eerder aan moeten denken. Nu moet ik het doen met het water uit het bordeel. Ik rantsoeneer mijn bidons: een voor in de ochtend, een voor de middag.

Halverwege de middag ben ik al door het water heen. De weg lijkt alleen maar omhoog te gaan. De dorpskerken zijn alweer leeggelopen en in het enige restaurant dat open is blijkt een besloten feestje aan de gang te zijn. 'Vraag dan in ieder geval wat water,

Jelle!' roept mijn innerlijke stemmetje. Maar ik durf niet en fiets verder door de leegte. De enige auto's die ik die dag tegenkom zijn oldtimers, meestal in een colonne. Elk dorp lijkt een oldtimervereniging te hebben. De meeste auto's hebben een rieten koffer boven op de achterklep. Ik ben heel erg benieuwd wat er in de koffers zit. De chauffeurs zijn allemaal man, en allemaal alleen. Het ziet er wel gezellig uit.

Misschien beland ik zelf ooit ook in zo'n colonne. Al zal dat tegen die tijd wel een zelfrijdende oldtimer zijn, wat natuurlijk een stuk minder leuk is. Het gaat deze mannen meer om het alleen zijn dan om het rijden, gok ik.

Aan het eind van de dag wordt het watertekort nijpend. Slikken gaat steeds moeilijker, ik word licht in mijn hoofd en mijn gewrichten beginnen pijn te doen. Je weet pas echt dat je dorst hebt als je tijdens het pissen naar een dubieus uitziende sloot vol met kroos kijkt en je toch overweegt om er eens lekker je bidon doorheen te halen.

Ik besluit dat ik vanavond wel wat comfort heb verdiend. Online vind ik een luxe bed & breakfast, min of meer in de goede richting. Het huis ligt uiteraard boven op een heuvel, waardoor ik nog een laatste klim moet maken. Het lijkt verlaten, er brandt geen licht. Een telefoontje en een kwartier later komt er een man in een Dacia Duster aan gescheurd. Nog eens tien minuten later sta ik eindelijk alleen in mijn kamer, met Yolanthe op de grond. Ik drink twee hele bidons leeg. Wat kan water toch heerlijk zijn!

Pas na het drinken kan ik verwerken waar ik nou eigenlijk ben beland. In de categorie luxe bed & breakfasts heb je twee varianten. De eerste is duur omdat hij op een mooie plek ligt, het matras precies goed is, de wifi het daadwerkelijk doet en het heerlijke ontbijt wordt opgediend op persoonlijke edoch discrete wijze. De tweede variant heeft dit allemaal niet, maar compenseert dit met purperen velours gordijnen, Swarovski-kristal bij het ontbijt en een porseleinen dalmatiër in de hoek van de kamer. Ook die tweede variant krijgt uitstekende recensies. In dit geval van mensen die het belangrijk vinden dat je je ei uit een Swarovski-eierdopje eet.

En dat het bad gestoffeerd is. Ik weet niet wat ik zie: niet alleen is de vloer van de badkamer zachtroze gestoffeerd, maar ook de zijkanten van de badkuip. Voorzichtig neem ik plaats in het bad terwijl ik probeer de bekleding niet nat te maken, wat natuurlijk mislukt. Misschien komt het omdat ik uitgedroogd ben, maar ik heb vagelijk het gevoel in een illustratie uit *Tom Tippelaar* te zijn beland, het kinderboek van Annie M.G. Schmidt dat leest als een lsd-trip.

Nu ik een dak boven mijn hoofd heb, haal ik voor de verandering eens mijn spullen uit de tas om alles goed te laten drogen. Weer kom ik die stomme mondharmonica tegen. Voor het eerst op de reis heb ik behoefte om het zakje met as te zien. Of in ieder geval te weten dat hij er nog zit. Ik schuif mijn hand in het geheime vakje, hij zit er nog. Ik leg hem op tafel. Ik heb geen flauw idee waarom; hetzelfde gevoel heb ik als ik voor het graf van mijn tante sta. Ik ben altijd blij dat ik erheen ben geweest, maar als ik voor het graf sta denk ik: hoor ik nu iets te denken, of te voelen?

Omdat het zondag is, is alleen de plaatselijke kebabzaak open. Ik staar naar de treurige maaltijd voor mijn neus en moet denken aan alle treurige maaltijden die ik in Rusland heb gegeten. Hoe heb ik het daar toch vijf jaar kunnen volhouden? Misschien heeft dat iets te maken met de reis naar Siberië die ik met mijn vader heb gemaakt. Ik woonde toen nog niet in Rusland, maar was wel al verliefd geworden op het land (en op een Russin). Die reis was het begin van een verslaving aan dit moeilijke land (met zijn moeilijke vrouwen).

Bij het plannen van die reis zaten mijn vader en ik gebogen over de *Encyclopaedia Britannica*, turend naar de reusachtige kaart van het lege Siberië. De Transsiberië-spoorlijn was ons niet avontuurlijk genoeg. We vonden nog een ander spoorlijntje, een paar honderd kilometer ten noorden van het Transsiberiëspoor. Na enig gegoogel vond ik het verhaal erachter. Het was een soort reserve-Transsiberiëspoorlijn, voor het geval China zou binnenvallen. Toen bleek dat de spoorlijn ook nog eens de BAM heette wisten wij het zeker: dit werd onze vakantiebestemming.

Op naar het Wilde Oosten! Mijn vader had ter voorbereiding *Siberisch dagboek* van Karel van het Reve gelezen, een reisverslag vanuit de Sovjet-Unie in

de jaren zestig, vol gezellige treinreizen met vriendelijke Russen die in hun pyjamaatjes mooie gesprekken voeren in de coupé, terwijl de taiga aan hen
voorbijtrekt.

Het liep allemaal wat anders. Het begon al in
Irkoetsk, waar onze vervolgvlucht eerst een uur, toen
twee uur en vervolgens drie dagen vertraging had.
Via een lange omweg met de trein belandden wij uiteindelijk alsnog in Severobaikalsk, aan de noord-
oever van het Baikalmeer. En, nog belangrijker, gele-
gen aan de BAM, waar wij al maanden over gedroomd
hadden. Severobaikalsk was gebouwd door de mensen die aan de BAM hadden gewerkt, voornamelijk
idealistische jongeren van de communistische jeugd-
beweging. De lijn werd voltooid in 1991, het jaar dat
de Sovjet-Unie uit elkaar viel. Het project waar zij
tientallen jaren enthousiast aan hadden gewerkt
werd in één klap nutteloos. Iedereen met hersenen en
geld vertrok naar Europees Rusland, dat door Siberi-
ers 'het vasteland' wordt genoemd.

Nu was het stadje verlaten, op een paar dronken-
lappen na. We logeerden in het enige hotel van de
stad. 's Avonds nuttigde mijn vader, de vegetariër,
een tomaat gevuld met kaas. Dit als welkome variatie
op een bord met rijst, het enige vegetarische gerecht
dat hij de dagen ervoor had kunnen bestellen.

's Ochtends vroeg, de zon was net opgekomen en
wij waren nog diep in slaap, denderde er een familie
zonder kloppen onze kamer binnen. Ze hadden de
sleutel van de receptie gekregen. Wat bleek: zij had-

den meer geld voor onze kamer over dan wij en dus moesten wij eruit. IJzeren logica. Bij gebrek aan andere hotels sprongen we meteen maar op de BAM en de rest van de reis overnachtten we in de andere treurige stadjes langs de route. Soms was er geen hotel en moesten we bij een oma aankloppen. Soms was er een bordeel waar we een kamertje konden huren (we mochten gratis gebruikmaken van de sauna). Een enkele keer kreeg mijn vader 's avonds een gevulde tomaat, maar meestal een bord rijst. Altijd waren de stadjes verlaten, winderig en koud.

Ook de trein was meestal leeg. Een restauratiewagen was er niet, alleen een soort bar waar bier en chips te krijgen waren. En wodka natuurlijk. We voerden ongemakkelijke gesprekken met de enkele aanwezigen, onveranderlijk man, ongewassen en dronken. Uiteraard had mijn vader voordat we op reis gingen beweerd dat hij vloeiend Russisch sprak. Hij kende inderdaad één zin uit zijn hoofd: 'Ja ne snaiu gde on', 'Ik weet niet waar hij is'. Verder kon hij heel goed knikken alsof hij de conversatie prima volgde. Dan had ik dus een gesprek met een Rus over de werkloosheid in Irkoetsk, waar mijn vader heel begrijpend bij knikte, om ineens 'Ik weet niet waar hij is' te zeggen. 'Ik weet ook niet waar hij is,' antwoordden de Russen dan meestal verontwaardigd. Voor de duidelijkheid: ze vroegen nooit 'Welke *hij* bedoel je?', maar gingen zonder hapering mee in het universum van mijn vader.

Onderweg kochten we wat van Russen die op het

perron nog iets probeerden bij te verdienen. Daar stonden zij met emmers met bessen of gefrituurd deeg gevuld met vlees. Af en toe bestelde ik wat van het deeg en dan verzekerde ik mijn vader dat er geen vlees in zat. Nog steeds weet ik niet of hij mij geloofde of dat hij het maar opat omdat hij verging van de honger.

Toen we onderweg waren naar Krasnojarsk werd ik midden in de nacht wakker. Mijn vader stond voor het raam, gekleed in de pyjama die hij speciaal voor deze reis had aangeschaft. Hij kauwde wat op een broodkorst en had niet door dat ik naar hem keek. Een halfuur lang stond hij voor dat raam met zijn broodkorst. En een halfuur lang bleef ik naar hem kijken. Nog nooit had ik mijn vader zo kwetsbaar gezien.

De volgende dag kwamen wij aan in Krasnojarsk, de mooiste stad van onze reis, al is 'mooi' echt een relatief begrip. Zo viel ik 's nachts bijna in een put waar geen putdeksel op lag. We wilden met een pontje naar de overkant van de machtige Jenisej. Het was bijna niet voor te stellen dat er 's winters zo'n dikke laag ijs op deze rivier lag dat vrachtwagens eroverheen konden rijden. Er waren meer mensen op het idee gekomen om het pontje te nemen. Met een meute Russen stonden we te wachten op het gammele pontje dat kwam aantuffen met erachteraan een enorme dieselwalm.

Mijn vader probeerde zich een weg naar voren te ellebogen. Tot zover niks nieuws: voordringen was zijn lust en zijn leven, nog een eigenschap die bij mij als jongen vele tranen van schaamte heeft veroorzaakt. Probeer je even voor te stellen dat er een lange rij is bij de incheckbalie op Schiphol en dat je vader dan met zijn drie kinderen helemaal vooraan gaat staan. Voel de brandende blikken van alle mensen in de rij in je rug.

Maar in Krasnojarsk liep het anders. Toen de pont aanlegde stormde de hele meute het dek op. Helemaal niemand was veilig. Vrouw, kind, invalide, iedereen drong voor: als je zelf niet aan het ellebogen was werd je omvergelopen. Het was het soort paniek dat je zou verwachten als de pont midden op de Jenisej zou zinken. Maar nu lag hij aan de kade, we zouden pas over een halfuur vertrekken en bovendien was er voor iedereen plek zat. De kapitein stond rustig een sigaretje te roken. Zelf bleef ik op de steiger staan en observeerde het pandemonium. Met enige moeite kon ik in het strijdgewoel mijn vader ontwaren. Druk sloeg hij met zijn ellebogen om zich heen, maar hij kwam niet vooruit. Nog nooit had ik mijn vader zo gezien. Uiteindelijk belandde hij als een van de laatsten in de kluwen op het dek, met een blik van totale ontreddering.

Mijn vader vloog een week eerder terug naar huis. Ik denk omdat hij omringd was door soortgenoten; onaangepaste, onvoorspelbare, geniale gekken. Vriendelijke gekken, maar wel gekken. Ik denk dat dat ook precies de reden is waarom ik zo van Rusland houd.

PORT-SUR-SAONE
-
MARNAY

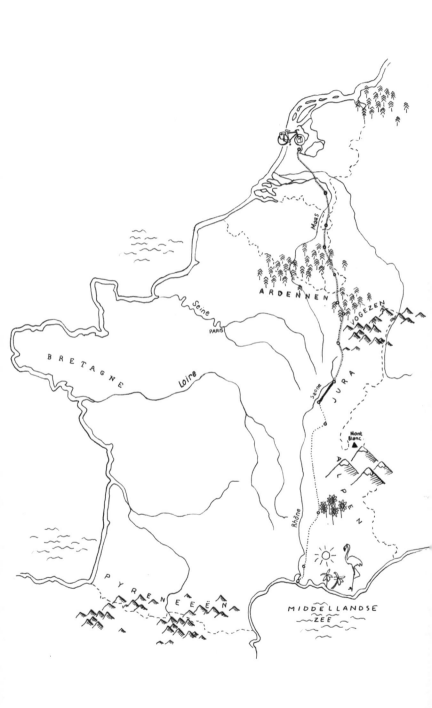

Ik word wakker onder een paars satijnen dekbed. Ik hang de velours gordijnen weer achter hun koord met parmantige kwastjes en ga naar de ontbijtzaal, waar de tafel gedekt is alsof het kerstavond is. Ik ben de enige in de zaal. De man komt weer aanscheuren in zijn Dacia Duster, legt een verse croissant voor mijn neus en gaat een al dan niet gouden ei koken. Daarna neemt hij tegenover mij plaats. Mijn Frans is niet goed genoeg voor smalltalk, en de man heeft er niet veel zin in. Waarom komt hij dan verdomme tegenover me zitten?

Vanaf hier gaat de route langs de Saône. Op dit soort momenten mis ik mijn vader het meest. De campings en de heuvels associeer ik niet met hem. En wanneer ik hem op dit soort plekken toch voor me probeer te zien, realiseer ik me goed dat het hier plezieriger is zonder hem. Maar als ik over een prachtig jaagpad langs de Saône fiets mis ik mijn fietsmaatje. We hadden samen kunnen lachen om het *Tom Tippelaar*-huis. We hadden leuke gesprekken kunnen voeren in het rare hemelbed. En mijn vader de vegetariër in een kebabzaak, dat had ik ook nog wel willen meemaken. Het mooie landschap maakt me verdrietig, omdat ik het niet met hem kan delen. Hetzelfde heb ik met romantische plekken waar ik niet van kan genieten als vrijgezel. Wat heb je aan een mooie zonsondergang als je alleen bent?

In de Elzas gaat het al een stuk beter dan in de Ardennen. Het is nog steeds zwaar, maar mijn conditie is intussen zo goed dat ik het lichtste verzet niet meer nodig heb. Slechts af en toe heb ik nog hulp nodig van Wissus en de andere imaginaire toeschouwers.

Het belangrijkst bij het klimmen is niet het klimwerk zelf, maar het kunnen inschatten van een berg. Veel energie gaat verloren met het verwerken van de teleurstelling dat de top voorbij de bocht nog steeds niet is bereikt. Of je verschiet je kruit in een snelle sprint met zwaar verzet, omdat je denkt dat het een kleine klim is terwijl je nog maar op een kwart blijkt te zitten. Het zou ook kunnen dat ik als Nederlander bergen structureel onderschat, omdat ik ze niet goed ken. Beter is het om meteen aan het begin van de klim even te stoppen, veel water te drinken en eens goed naar de berg te kijken. Hoe loopt de weg, hoe lang is hij en wat voor helling heeft hij? Zie ik daar nou een auto door een haarspeldbocht gaan? Ligt er halverwege al een dorp? Dan zal de weg daar weer omlaag gaan. Dan kijk je naar de lucht. Bij een lange klim en goed weer loont het de moeite om een laag kleding uit te trekken.

Het klimmen kun je beter in een rustig verzet beginnen, om daarna de berg te 'voelen'. Op een gegeven moment heb je een ritme waarvan je weet dat je dat een halfuur kunt volhouden – langer is zelden nodig. Over het algemeen hebben bergen een redelijk constante hellingsgraad, behalve helemaal aan het eind: dan komen de haarspeldbochten. Daar moet je je laatste energie voor bewaren. Steeds minder zie ik de bergen als mijn vijand, meer als een wat wispelturige vreemde die je wat beter wilt leren kennen. Hij kan zomaar een mes tevoorschijn halen, dat wel.

Bij Marnay passeer ik de waterscheiding; vanaf hier stromen de rivieren niet naar de Noordzee, maar naar de Middellandse Zee. Ik wil ergens een foto van maken, maar weet niet waarvan. Ik ben verbaasd dat ik het zo ver heb geschopt, zonder lekke band zelfs. Ik tref die dag opnieuw een verlaten camping aan; ik ga er maar gewoon staan. Opnieuw een restaurant waar mij een plaats wordt gewezen. Ik ga daar tegenover zitten en krijg een matig gerecht met half rauwe spek. Opnieuw het ritueel voor het slapen gaan: ketting smeren, remmen checken, modder van fiets halen. Met al mijn kleren aan in de slaapzak liggen en opschrijven hoeveel kilometer ik heb gefietst. Lezen in Knausgård werkt intussen verslavend. Meestal vecht ik tegen mijn slaap om het hoofdstuk uit te lezen. Het minutieus beschrijven van zijn leven is hypnotiserend. Zijn vader blijkt ook een hoop te verzinnen, Knausgård weet nooit wat hij kan geloven. Misschien daarom zijn zijn boeken zo krankzinnig gedetailleerd: een soort bezwering van zijn liegende vader. Dat hij wil laten zien wie hij echt is, zoals zijn vader zich nooit aan hem heeft laten zien. Af en toe ben ik ook wel jaloers op Knausgård: mijn geheugen is één grote brij. Dialogen vergeet ik altijd al na een dag. Als schoolvrienden herinneringen ophalen, dan ben ik altijd de enige die geen idee heeft.

Gek genoeg staat me juist het laatste halfjaar van mijn vaders leven opvallend helder voor de geest. Op de bovenverdieping moest een kamer komen voor een verpleegster, waar ze 's nachts zou kunnen slapen. Mijn vader overleed voordat de kamer klaar was, maar dat wisten we toen natuurlijk niet. We hadden dat kamertje altijd 'het rode kamertje' genoemd. Om voor mij onbekende redenen was de kamer toen wij in de jaren tachtig in dit huis kwamen wonen namelijk helemaal rood geschilderd. Slordig, dik en met spatten op de wasbak. Daarnaast was mijn vaders werkkamer. Dit was een soort heilige grond. Daar zat hij, dag in dag uit, aan een plank op schragen, op een bureaustoel waarvan de stof volledig versleten was; hier en daar zag je alleen nog wat schuimvulling. Daar zat hij dan gebogen over zijn grote vellen papier met woorden erop. De meeste mensen kenden mijn vader van zijn columns, maar zijn echte liefde was spelen met woorden. W.F. Hermans schreef ooit het boek *Malle Hugo*, waarin hij in 328 bladzijden mijn vader belachelijk maakte – wat mijn vader uiteraard de hoogst haalbare eer vond. In dit boek voert Hermans ene Pietje op, de zoon van

Hugo, die zijn zakgeld verdient met het tellen van woorden. De grap is: zo verdiende ik mijn zakgeld ook. Eindeloos woorden tellen waarvan de derde en de vijfde letter een n waren (ik noem maar wat, ook dit ben ik vergeten, ik ben geen Knausgård) en dan kreeg ik vijf gulden – nog steeds een fractie van het zakgeld dat mijn klasgenootjes kregen, maar goed.

Later had mijn vader een cd-rom van het *Woordenboek der Nederlandsche Taal* en kon hij de computer gebruiken – en was ik mijn baan kwijt.

Maar deze heilige plek dus, waar je voorzichtig aanklopte om, eenmaal binnen, het gesprek zo kort mogelijk te houden – dit om hem niet te lang te storen – en waar ik nooit iets durfde aan te raken, deze kamer moest ik nu leeghalen, het sanctum sanctorum, waarvan niemand eigenlijk wist wat daar allemaal lag, op een enorme stapel dozen van het Centraal Boekhuis na dan – exemplaren van *Symmys*, het krankzinnige boek met palindroomzinnen in alle mogelijke talen. Toen het boek in de ramsj dreigde te komen heeft mijn vader woedend de hele partij opgekocht en in het rode kamertje gezet. Als ik op reis ging gaf hij mij standaard een *Symmys* mee. Kwam ik op mijn exotische reisbestemming langs een boekhandel, dan diende ik het boekje tussen de andere boeken te schuiven. Een soort negatieve diefstal.

Ik was net begonnen met het opruimen van de *Symmys* en talloze *Revisors* toen mijn vader zich meldde. Op de een of andere manier was hij omhoog geklommen. Hij zat daar in het trapgat en zwaaide wild met zijn armen. Ik probeerde hem uit te leggen waarom het rode kamertje leeg moest, maar hij begon alleen maar wilder te zwaaien. Vond hij gewoon dat ik met mijn takken van zijn spullen moest afblijven? Of was hij bang dat de boeken, die zo liefdevol van de ramsj waren gered, in de papierbak zouden belanden (wat ook gebeurde met de *Revisors*)? Of zat er een of andere schat verstopt tussen de boeken? Misschien een bundel contanten, al dan niet in guldens? Daar was mijn vader wel het type voor. Maar naar wat er in zijn hoofd omging, kon ik alleen maar raden.

MARNAY
-
MIRABEL

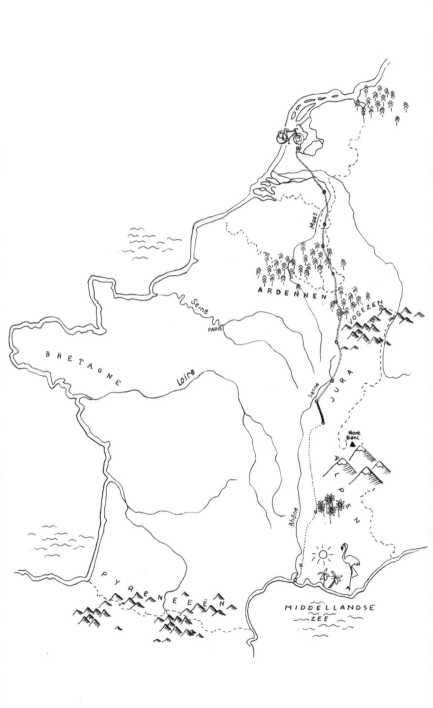

Nu begint het echte klimwerk: de Alpen. Gek genoeg zijn de Alpen minder intens dan de Ardennen; de hellingsgraad is over het algemeen kleiner, maar ik heb nog niet eerder meegemaakt dat ik zo lang moet klimmen. Soms meer dan een uur achter elkaar. De imaginaire toeschouwers schieten tekort. Die dag verzin ik er een voice-over bij van Mart Smeets, die verslag doet van mijn fietstocht. Ik heb er enorm veel lol in en vind het jammer dat ik die lol niet met iemand kan delen. Ik blijf alleen met Mart Smeets.

Rond een uur of vier googel ik de dichtstbijzijnde slaapplek. Weer alleen op een verlaten camping zie ik even niet zitten. Ik vind een *chambre d'hotes* in een boerderij op een hoogvlakte, in het dorpje Mirabel. Voor de zekerheid bel ik van tevoren, en ik begrijp dat er in het dorp geen winkel of restaurant is. 'We hebben wel een magnetron,' merkt de gastheer op. Dat is niet de gezelligheid die ik voor ogen heb, maar goed. Bij een supermarkt in het dal koop ik twee diepvrieslasagnes en begin ik aan de laatste klim naar de hoogvlakte.

Eenmaal aangekomen moet ik mijn fiets in de garage zetten, wat ik fijn voor hem vind. Misschien komt het door de lange tocht, misschien door de eenzaamheid, maar ik ben mijn fiets toch een beetje als een vriend gaan beschouwen. Ik aai hem over zijn zadel en wens hem een goede nacht toe in de droge en warme garage.

Even later zit ik in mijn kamertje de diepvrieslasagnes op te eten. Het is ongelooflijk hoeveel eten je nodig hebt op zo'n fietstocht. Buiten grazen een paar koeien in de alpenweide. Ik zie ze niet, maar ik hoor hun koebellen.

De heer des huizes klopt op de deur. Of ik misschien zin heb in wat kaas en wijn. Over het erf lopen we naar de huiskamer, het is er warm en knus. De man gaat met de vrouw des huizes tegenover mij zitten. We praten wat over mijn tocht en over het weer. Meer zit er niet in, maar dat geeft niet. Ze kijken me zwijgend aan, maar op een andere manier dan de man in het *Tom Tippelaar*-huis. Het is een blik vol liefde en compassie. Ik kan ook zien dat ze van elkaar houden: hoe ze zijn wijn inschenkt, hoe hij een stuk kaas voor haar afsnijdt. Geborgenheid en veiligheid. Dat ken ik alleen bij vlagen.

's Nachts, in mijn bedstee in Mirabel, hoor ik in mijn achterhoofd de bombastische voice-over van Mart Smeets: 'In april door de Jura met de fiets, dat is áfzien. Beseffen hoe nietig je bent tussen al dat natuurgeweld. In de bergen ben je dichter bij God, maar ook dichter bij de duivel. Slagregens en onweer, en dat de hele dag door. En daar dan doorheen fietsen. Maar ook: warmte. Warmte in de Franse boerenhoeven. Alle hotels en restaurants zijn dicht, maar daar, in het gehucht Mirabel, dat de naam gehucht niet eens verdient, zwaait de deur open. Het is simpel, maar het is goed. De boer snijdt een homp Comtékaas af en schenkt wat wijn in. Geeft wat brood. Een simpele maaltijd. De vrouw des huizes blijft op de achtergrond, dat kennen wij helemaal niet meer in Nederland. Maar in Frankrijk is de heer des huizes nog steeds de heer des huizes. Zoals alleen de Fransen dat kunnen. En dan de volgende dag hup, meteen weer op de pedalen. Langs de Ain komt de mistralwind om de hoek kijken, of monsieur Mistral, zoals de Fransen hem vol eerbied noemen. Nee, geen madame, maar een monsieur. Twee dagen door de Jura in april. Het is afzien. Het is léven. En dat is mooi.'

MIRABEL

-

AVIGNON

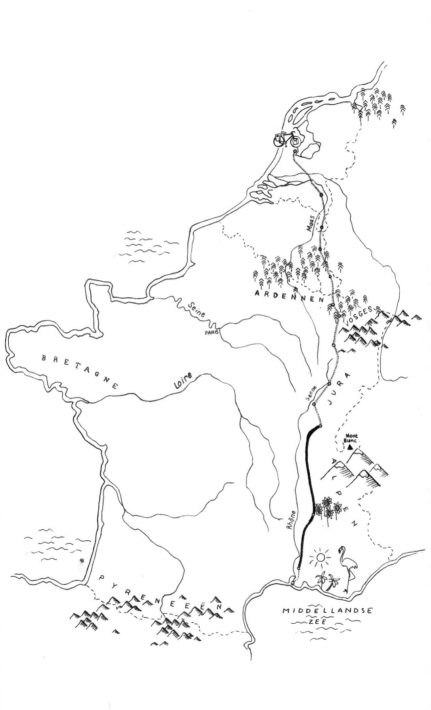

De volgende dagen klim ik verder door de Jura. Ik overnacht in Romans-sur-Isère in een shabby hotel bij het treinstation. De aardige Algerijn achter de receptie staat erop mijn kleren te wassen. 'Je stinkt,' zegt hij resoluut. Ik geloof hem meteen, al ruik ik het zelf niet meer. Hij geeft mij een extra grote kamer zodat ik mijn tent kan laten drogen. Ik mag mijn fiets in de gang bij mijn kamer zetten. Dat is maar goed ook, want buiten wemelt het van de louche types.

's Nachts word ik wakker van de sirenes van de politie; het stationsplein is afgezet, een paar mannen worden in een politiebusje gegooid.

De volgende ochtend blijft mijn duim op de een of andere manier haken achter de deurknop, een lap vel ligt eraf. Tijdens het ontbijt begint het bloed door mijn pleister te lekken. De Algerijn legt een rol verband op mijn tafel. 'Vanuit Marseille gaat er een boot naar Algerije, misschien moet je lekker doorgaan aan de andere kant van de Middellandse Zee!' zegt hij lachend.

Met verband om mijn duim stap ik weer op de

fiets. Schakelen gaat gelukkig nog wel. Mijn lichaam weet inmiddels niet beter dan dat het acht uur per dag moet klimmen en dalen.

De bergen hebben een hypnotiserende werking. In mijn hoofd maak ik muziek die past bij mijn fietstred. De tien tandwielen achter zijn de noten, de drie voorbladen de octaven. Telkens als ik schakel verandert de muziek. Ik vlieg door de bergen, het klimmen is goed te doen, het is nu zelfs leuk. Voor het eerst op reis haal ik een vadsige wielrenner in. Mijn benen zijn sterk genoeg om niet alleen Yolanthe maar ook haar baby Xess Xava op een voorzitje te kunnen meenemen. Als het zo doorgaat kan ik wel door naar Algerije! Misschien zelfs naar Kaapstad.

In het begin is er alleen maar wildernis. Geen weg die de mijne kruist, geen dorp, zelfs geen boerderij. En geen auto op de weg, heerlijk.

Dat is misschien wat ik in Nederland het meeste mis: de wildernis. Plekken die geen bestemming hebben. Ik denk dat wij het enige land ter wereld zijn waar elke vierkante meter een bestemmingsplan heeft. Thuis fiets ik wel eens een rondje in de buurt. Een groot deel van de tocht gaat dan over de Diemerzeedijk aan de rand van Amsterdam. Op het eerste gezicht kom je dan door een prachtig natuurgebied. Auto's mogen er niet rijden, en altijd zie ik wel ergens een konijntje langshuppelen. Maar aan mijn rechterkant loopt een door mensen gegraven kanaal waar binnenvaartschepen varen. Aan mijn linkerkant ligt een door mensen gemaakt eiland, IJburg. Achter mij hoor ik het gedreun van de ringweg van Amsterdam. Voor mij: de schoorstenen van de energiecentrale. Boven mij: de hoogspanningsmasten die Amsterdam van energie voorzien. En onder mij – en dat is het meest bijzondere – een voormalige vuilnisbelt. In plaats van het te saneren hebben ze dit gebied in plastic verpakt en is er een park op gebouwd. Hier en daar steekt een schoorsteen uit de grond die het ingepakte afval moet ontluchten. Voor een kinderprogramma was ik er ooit op stap met een bioloog die vertelde dat ze geen idee hebben wat voor chemische processen zich precies in die gifkuil afspelen. In elk ander land zou dit een stedelijke wildernis zijn; grond die niemand wil hebben. Hooguit geschikt om nog meer afval te storten, of misschien als informele tippelzone. Fietsend over de Diemerzeedijk kan ik genieten van zoveel inventiviteit, maar soms raak ik ook gedeprimeerd omdat ik naar deze vuilnisbelt moet om van de natuur te genieten. Nederland is de natte droom van elke ingenieur. Of Nederland is India met infrastructuur, het is maar hoe je het bekijkt. Voor de luxe van de wildernis, om omringd te zijn door leegte, moet je altijd de grens over. Totale stilte heb ik maar één keer in mijn leven meegemaakt, op een heuvel in de Siberische taiga waar ik was voor opnames van een van mijn televisieseries. Het was windstil, er lag een pak sneeuw, geen vogels in de bomen. De geluidsman wees naar zijn recorder: er was geen enkel geluid voor hem om op te nemen. Wie een paar weken door de leegte fietst, krijgt ook een leeg hoofd.

Ik ben intussen in de Provence aangekomen. Ik laveer tussen de velden met lavendel en zonnebloemen, die allebei helaas nog niet bloeien. Het is er voelbaar warmer en vlakker, en met een beetje fantasie kan je de Middellandse Zee al ruiken. Voor mij ligt Avignon, de eerste grote stad sinds Luxemburg. Ik moet hier mijn kaartje kopen voor de terugreis, bij het TGV-station, in een buitenwijk. Van Google Maps begrijp ik dat er voor fietsers maar één route naar het station loopt.

De omgeving van het station is een beetje shabby, zoals de stationsbuurt van Romans-sur-Isère. Nou ja, net zoals elke stationsbuurt ter wereld. Wat het zo wonderlijk maakt is dat de buurt gloednieuw is, met het futuristische station als middelpunt. Waarom kunnen de Fransen alles zoveel stijlvoller dan de Nederlanders? Bouwen, zich kleden, eten, flirten.

De weg waarop ik fiets houdt op een gegeven moment op. Midden op een brug die nog niet af is gaat hij niet verder. De weg aan de andere kant loopt wel door, maar daar heb ik niet zoveel aan. Ik zou kunnen proberen aan de andere kant van het station te komen, maar ik wil liever geen tijd verliezen. Ik fiets een stukje terug en sla een weg in die niet staat aangegeven op mijn navigatie. Even later stuit ik op een barricade: drie stapels met autobanden en een uitgebrand winkelwagentje. Onder de fly-over zie ik een rommelige nederzetting van woonwagens, autowrakken en kippen. Het blijkt een woonwagenkamp te zijn voor zigeuners. Misschien kan ik daarachter alsnog bij het TGV-station komen, al ben ik bang om door het kamp te fietsen. Een halfjaar geleden ben ik na een korte fietstocht in Limburg op het station van Sittard beroofd door een nepzwangere zigeuner.

Tot mijn opluchting word ik nu niet beroofd. De meeste zigeuners zijn vooral kwaad dat ik het lef heb om langs de barricades te fietsen. Een aantal kinderen rent achter mijn fiets aan en begint er tegen aan te duwen. Ik overweeg om die vervloekte mondharmonica uit de tas te vissen en cadeau te doen als een soort *wiedergutmachungsschnitzel*, maar dat lijkt me te riskant. Aan het front in de Oekraïne-oorlog is mij ooit verteld dat het het belangrijkste is om in beweging te blijven als je door een gevaarlijk gebied rijdt. Als ik stop zullen ze misschien geen genoegen nemen met de mondharmonica. En de as van mijn vader zit nog steeds in mijn fietstas. Na een hoop ge-'*désolé*' en na ook nog een keer de verkeerde kant op te fietsen kom ik weer uit bij de barricades. De kinderen blijven er staan. Precies op de grens waar zij mensen wegjagen en waar zij worden weggejaagd.

Die avond eet ik in Arles voor het eerst echt goed. Als voorgerecht neem ik een *papeton*: een taartje van geroosterde aubergine. De *papeton* is zo lekker dat ik hem na het dessert, ter compensatie van alle ellendige kebabmaaltijden daarvoor, nog een keer bestel. Hoewel er gezinnen met kinderen om mij heen zitten, is het toch rustig in het restaurant. Weer valt het mij op hoe Franse ouders er op de een of andere manier in slagen hun kinderen zo op te voeden dat ze braaf aan tafel zitten, niet schreeuwen of met eten gooien. Als je kijkt naar de jeugd van mij en mijn zussen is het eigenlijk een wonder dat we alle drie goed terecht zijn gekomen. Natuurlijk was het niet de keuze van mijn vader om ons op te voeden. Het was onze moeder die kinderen wilde, niet hijzelf, zoals hij ons vaak genoeg vertelde (ook niet echt pedagogisch verantwoord, welbeschouwd). Maar onze moeder ging dood en mijn vader stond er alleen voor.

Nu ik erover nadenk heb ik in mijn jeugd twee vaderlijke adviezen gekregen. 1. Spaar nooit voor je pensioen. 2. Stap nooit uit de ene schoen voordat je je andere voet in een andere schoen hebt gezet. Dit ging dan over vrouwen.

Over het algemeen was mijn vader behoorlijk afwezig. Op een dag besloot ik met mijn twee zussen weg te lopen. Vanuit ons huis in de Corellistraat liepen we naar de RAI, voor een tienjarige een enorme onderneming naar de rand van het bekende. Bij de RAI concludeerden we dat het toch beter was om terug te gaan, aangezien we ook niet wisten hoe we verder moesten. Bovendien hadden we ons doel toch al bereikt, door onze vader ongerust te maken. Na twee uur kwamen we weer thuis. Mijn vader zat boven in zijn kamer en had niets gemerkt.

Pas sinds kort besef ik wat de opvoeding van mijn vader mij allemaal gebracht heeft. Van mijn negende tot mijn twaalfde stuurde hij ons elke zomer naar kamp De Grote Beer op Terschelling. Om zeven uur ochtendgymnastiek. Wie zich verstopte in zijn slaapzak werd eruit geschud, ik weet nog precies hoe het voelde om uit de warmte van de slaapzak in de natte dauw te belanden. Warm water was er niet, wassen deed je 's ochtends met een teiltje koud water. De wc was een beerput, binnen drie dagen lag iedereen in de tent met diarree, of je was kotsmisselijk. En toch heb ik alleen maar goede herinneringen aan De Grote Beer. Bovendien houd ik dankzij De Grote Beer van kamperen, en heb ik er ook geen moeite mee om 's ochtends door de dauw te lopen. Het zou heel goed kunnen dat ik door onze spartaanse opvoeding makkelijker dan andere mensen kan omgaan met barre omstandigheden. En dat ik ze misschien daarom wel opzoek, of dat nou in Rusland is, op weg naar de Middellandse Zee of op een heel goor toilet in India. Stel dat mijn vader mij met veel aandacht en liefde had opgevoed, dan had ik het misschien wel geen vijf jaar uitgehouden in Rusland. Ik houd van overleven. En nog steeds ben ik er niet achter of dit nou een vloek of een zegen is.

AVIGNON

–

SAINTES-MARIES-DE-LA-MER

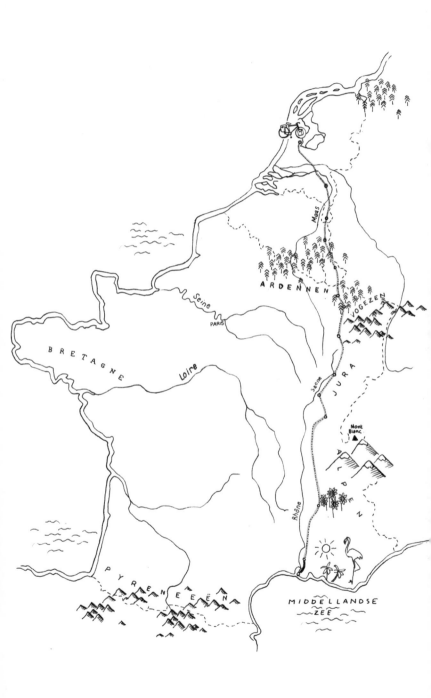

De bergen zijn nu echt voorbij en uiteindelijk de heuvels ook. Het is alsof ik afscheid neem van oude vrienden. Dit is de Camargue, en het landschap is net zo vlak als in Nederland. Maar dan wel een Nederlands landschap met palmbomen. Palmbomen, die ik met mijn eigen beenspieren heb bereikt! Triomfantelijk fiets ik de laatste kilometers in het strijklicht van de namiddag. Het pad gaat door een natuurgebied, moerassen met flamingo's. Ik zie zelfs een slang. Een dode, maar toch. En uiteindelijk gaan de moerassen over in duinen.

Mijn fietstocht eindigt op een suffe zeeboulevard in het stadje Saintes-Maries-de-la-Mer. Met de fiets klim ik over de duinen het strand op en loop een stukje de zee in. Op mijn telefoon lees ik dat dit stadje een bedevaartsoord is voor zigeuners. Om de een of andere reden vind ik dat wel toepasselijk. Hier ergens zal ik de as van mijn vader verstrooien. Mijn trein terug naar Nederland gaat pas over twee dagen, en eigenlijk is dat wel een opluchting. Nu ik de Middellandse Zee heb bereikt en het verstrooien van de as concreet wordt, heb ik ineens minder haast.

Ik verken het stadje, een suf badplaatsje dat mij enigszins doet denken aan Knokke. Mijn niet-gebruikte waterreservoir gooi ik in de eerste de beste vuilnisbak. Het voelt een beetje als spijbelen; voor het eerst in zeventien dagen hoef ik niet acht uur lang op de fiets. De camping ligt direct aan zee; mijn slaapmatje is lek, maar mijn lichaam is al zo gehard door alle ontberingen dat ik de nachten op de grond doorbreng, met de tent open, zodat ik de zee goed kan horen en ruiken.

De laatste dag. 's Ochtends, onderweg naar de wc, roept iemand nog: 'Hé Jelle, Rusland –' 'is díe kant op!' vul ik hem aan en ik wijs naar wat hopelijk het oosten is.

Het moet nu echt gebeuren. De vraag is waar precies. Op goed geluk fiets ik naar een verlaten moerasgebied op een uurtje fietsen van de stad. Op het pad ligt zoveel stuifzand dat ik de rest van de rit moet lopen. Als een malloot ploeg ik door de duinen in mijn fietsbroek, met het gekke satijnen zakje in de ene hand en mijn helm in de andere. Achter de duinen ligt een wat rommelig strand. Op een aantal plekken hebben mensen een vuurtje gestookt. Een nogal verlaten strand waar af en toe gefeest wordt, dat lijkt mij wel een geschikte plek. Aan de andere kant: wat maakt het ook eigenlijk uit waar ik de as verstrooi? Waar slaat dit allemaal op? Ineens weet ik het niet meer. Waar is deze hele onderneming nou eigenlijk voor nodig geweest? Nu ik eenmaal in zee sta wil ik de as helemaal niet weggooien. Ik zou hem moeten bewaren in een urn, of eigenlijk een mini-urn, ter grootte van een koffiekopje. Het verstrooien maakt de dood van mijn vader zo definitief.

Maar het kan geen kwaad om het satijnen zakje eens open te maken. Er zit nog een zakje in, van plastic. Ik scheur het plastic open, waarom precies weet ik niet en eigenlijk is er nu geen weg meer terug. Ben ik verdrietig? Nee, niet echt. Opgelucht? Eerlijk gezegd was ik gisteren opgeluchter toen ik het waterreservoir weggooide. Ik kijk naar de zee en achterom naar het strand, waar niemand is, en ik denk aan Petten. Aan hoe mijn vader en ik eens samen over het strand liepen en een politieagent op een van de strekdammen zagen staan, wat ongebruikelijk was. Toen we dichterbij waren gekomen zag ik het lichaam van een aangespoelde man op de dam liggen, er lag nog geen laken over, de politie was er nog maar net. 'Hé, een lijk!' riep ik tegen mijn vader. Waarop hij zei: 'Kijk, daar fietst iemand boven op de dijk! Wat ziet dat er grappig uit!'

Ik moest accepteren dat hij mij hooguit een kijkje zou gunnen in zijn fantastische universum, maar dat hij het mijne nooit zou betreden, wat soms best eenzaam was.

Ik heb geen spijt, alles wat ik wilde vragen heb ik hem gevraagd. Soms gaf hij antwoord, soms zei hij 'Pirelli'. Vaak was ik op reis, of woonde ik in het buitenland, maar ik heb hem vaak genoeg gezien. Precies genoeg om niet helemaal gek van hem te worden, en genoeg om zijn gekke universum te waarderen. Ik vraag mij af of ik nog iets moet zeggen voor ik het zakje zal leegschudden, maar ik vind de situatie al belachelijk genoeg. Ik houd het zakje ondersteboven en mijn vader valt in de branding. De as is minder fijn dan ik had gedacht: meer een soort kiezeltjes, die meteen naar de bodem zinken. Er blijft nog wat in het zakje zitten, voor de volledigheid spoel ik het nog maar eens om in het zeewater. Op het strand ga ik op een stuk wrakhout zitten om mijn voeten te drogen. Ik wil mijn zussen bellen, maar ik heb geen bereik. Ik denk dat ik misschien hoor te huilen, maar dat gebeurt niet. Ik ben moe, leeg en klaar met alleen zijn. Nu de as in zee ligt, wil ik zo snel mogelijk naar huis.

SAINTES-MARIES-DE-LA-MER
-
AMSTERDAM

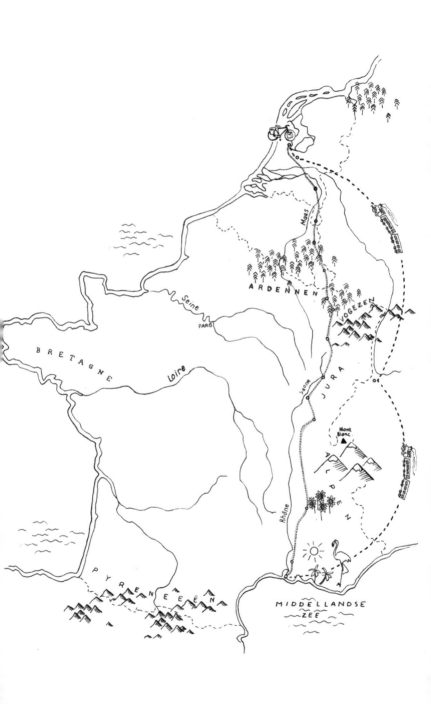

In de nachttrein uit Basel deel ik de coupé met twee mannen die Zwitsers klinken, de één een jaar of zestig, de ander tachtig. Vader en zoon, vermoed ik. Ze lijken op elkaar en ze maken venijnige opmerkingen zoals alleen familieleden dat kunnen. Pas bij Utrecht word ik weer wakker door de stem van de machinist. De trein zal door vertraging niet doorrijden naar Amsterdam, iedereen moet uitstappen. Waarom een trein niet door kan rijden vanwege vertraging is mij niet helemaal duidelijk, maar daar sta ik dan op het perron van Utrecht Centraal. Ik heb geen zin om op een andere trein te stappen en besluit het laatste stuk naar Amsterdam maar weer te gaan fietsen. Hoe moeilijk kan dat nou zijn na die 1620 kilometer die ik hiervoor heb afgelegd?

Het valt behoorlijk tegen, waarschijnlijk omdat mijn lichaam uitgezet is sinds ik in Avignon in de TGV ben gestapt. En omdat ik de saaiheid van het Nederlandse fietslandschap ben vergeten. Ik zie de omgeving wel, maar voel het niet meer, en als ik langs het Amsterdam-Rijnkanaal fiets vraag ik mij af of ik vanavond ook mijn lul weer niet zal voelen.

Uiteindelijk beland ik weer bij Ouderkerk aan de Amstel, waar de tocht begon. Nu ga ik langs de rustige rechteroever. De joodse begraafplaats, het huis voor blindengeleidehonden en het voetbalveld voor de politie, een peperduur stukje grond dat is geschonken door de familie Heineken, althans volgens mijn vader, die dat elke keer vertelde als wij hier langsfietsten. Verderop, in de struiken, stond een soort boshut waarin een paar jaar lang een zwerver woonde. Je kon hem alleen zien als je het wist. Mijn vader had een obsessie voor de hut en voor de man die in die hut zou wonen. Ik heb hem nooit gezien. Nu is de hut weg.

Ten slotte kom ik langs de moestuintjes. Ik stap van mijn fiets om te voelen of mijn lul er nog aan zit. Dan loop ik het pad op van de tuinen. Het is lente geworden, er zit bloesem aan de bomen. In de hoek van het veld vind ik het huisje. Het is een simpel huisje, ooit door iemand in elkaar gezet, nu is het van iedereen. Het is in al die jaren nog gammeler geworden. Het bankje kraakt en beweegt als ik erop ga zitten. Ik kijk uit over de Amstel, een groepje roeiers komt voorbij met een fietser op het jaagpad die door een megafoon onverstaanbare instructies geeft. Hier zat ik bijna een jaar lang met mijn vader de *Aeneas* te lezen. Dankzij hem haalde ik mijn diploma. Voor ik het weet lopen de tranen over mijn wangen en komen er weer nieuwe herinneringen bovendrijven.

Het is eindexamentijd en mijn vader komt naakt mijn kamer binnenrennen. 'Wat doe je nog in bed? Je komt te laat voor je Latijn-examen!' roept hij. Nog half in mijn pyjama spring ik vijf minuten later op mijn fiets en race naar school. De brug die normaal vol fietsen staat is leeg. Vreemd. Het blijkt zondag te zijn, mijn vader heeft zich in de dag vergist. Maar belangrijker: hij maakte zich zorgen om mij.

Het is Sinterklaas, en ik krijg de letter Q. Zoals elk jaar heeft mijn vader veel te laat de chocoladeletters gekocht. Alle courante letters zijn op. Bij de letter zit het volgende gedicht: 'Q, Q, Q, deze letter is voor u'. Het is misschien niet de juiste letter, maar hij is wel naar de winkel gegaan om letters te kopen. En het gedicht is niet heel lang of goed, maar hij heeft wel de moeite genomen om een gedicht te schrijven.

Ik ben met mijn vader in Londen. Ik moet zeven zijn, want we horen over de Tsjernobyl-ramp. Daardoor ben ik 's nachts bang voor een radioactieve wolk en kan ik niet slapen. Mijn vader kleedt me weer aan en we gaan naar buiten. De hele nacht rijden wij in een lege rode dubbeldekker. Bovenin, op de eerste rij zitten we daar met z'n tweeën. Zo val ik in slaap. De rest van de nacht blijven we rondjes rijden. Althans, zo eindigt dit Hugo-verhaal.

In mijn telefoon zoek ik het verhaal op dat mijn vader mij niet lang voor zijn dood heeft gedicteerd. Voor het eerst lees ik het terug. Ik heb het tijdens de reis al willen lezen, maar dacht dan telkens: dat komt later wel. Of misschien vond ik het gewoon te moeilijk. Maar hier in de hut maak ik het bestand open en lees:

De maan

Ik wil de maan ontdekken. Er zijn personen, maar die zijn klein. Ze zitten allemaal onder de grond. Ik heb wel zin in ze, maar ik heb ze nog nooit gezien. Maar ik geloof in het onder aarde zijn. Want dat is veel beter. En ik wil ook onder.

Ik vind allerlei keurige dames onder de grond en daar word ik dan verliefd op. Ze vallen natuurlijk niet voor mij, maar ik leg ze uit dat ze van de aarde komen. Ik zeg gewoon tegen ze: ik vind je aardig en dan maken ze duidelijk dat ze mij wel willen trouwen.

Maar trouwen stelt niks voor daar. Ze trouwen daar af en toe. Het stelt niks voor omdat het niet houdbaar is. Ik constateer ook dat de mensen op de maan veel eerder doodgaan. En ze zijn naakt, want het is warm daar. Ze zien er anders uit dan mensen, maar daar val ik juist wel voor.

**MAAK HIER PLANNEN VOOR EEN MOOIE REIS OM
JE EIGEN TRAUMA'S TE VERWERKEN**

(Niet vergeten: mondharmonica, waterreservoir...)

....

....

....

....

....

....

....

....

....

....

....

....

....

....

....